KEES & KO DETECTIVEBUREAU

HET MYSTERIE VAN DE VERDWENEN MEESTERWERKEN

Kees & Ko detectivebureau

Het mysterie van de verdwenen meesterwerken

Harmen van Straaten

moon

Lees ook de andere boeken over Kees & Ko:

Kees & Ko detectivebureau

Kees & Ko detectivebureau – De scooterbende

Kijk voor meer informatie over Kees en zo op
www.kees-en-ko.nl

Waarschuwing: enige schade veroorzaakt door het lezen van
dit boek is voor eigen rekening en risico van de gebruiker.

De directie van Kees & Ko detectivebureau

Kees
(directeur)

Tekst en tekeningen © 2007 Harmen van Straaten en Moon, Amsterdam
Omslagbelettering Petra Gerritsen
Zetwerk ZetSpiegel, Best
www.moonuitgevers.nl
www.harmenvanstraaten.nl

ISBN 978 90 488 0003 2
NUR 283

Moon is een imprint van Dutch Media Uitgevers BV.

ola,

Hier is Kees, helemaal terug van weggeweest. Nou ja, terug...
Niet in de grote stad helaas. Ik zit nog steeds op het platteland. Eigenlijk tussen twee verhuizingen in: van de stad naar het
platteland en hopelijk snel van het platteland terug naar de stad.

Maar we blijven de moed erin houden, ik en mijn hond Ko,
medeoprichter en wegens hooikoorts stille vennoot van Kees
& Ko detectivebureau.

Maar misschien ga ik te snel en is nog niet iedereen op de
hoogte van mijn avonturen. Voor wie ze nog niet kent, volgt
nu: Kees voor beginners.

Laat ik me nog een keer voorstellen voor wie me nog niet
kent. Ik ben Kees, jongen van de stad en de wereld. Ko-
ning van de skateboarders. Mijn haar zit volgens de laatste
mode, mijn schoenen zijn helemaal top, ik draag kleding van
alleen maar goede merken. Ik ben zoals jij en iedereen wel
zouden willen zijn.

Een tijdje terug raakten mijn zus Caro, de jongensgek, en ik voor het eerst verzeild in het gebied buiten de stad dat platteland heet. Mijn ouders hadden het suffe idee dat het goed zou zijn voor ons gezin om met elkaar op een afgelegen boerderijtje te gaan zitten. Dat noem je nou een generatiekloof. Als ouders de leeftijd van veertig jaar bereiken, houdt hun gevoel voor de moderne tijd op. Heb jij je ouders wel eens zien dansen op een feestje? Ik bedoel maar. Dan zeg je toch ook liever tegen je vrienden: 'Dat zijn mijn oom en tante, die hebben een tijdje in het buitenland gewoond. Daar zijn ze niet helemaal meegegaan met hun tijd.' Liever dat, dan bekennen dat het je ouders zijn. Je vrienden zullen dan begrijpend knikken.

Mijn zus en ik hadden ons voorbereid op een gevangenschap op het platteland van een aantal weken. Maar het liep allemaal anders. Mijn zus werd verliefd op de eerste de beste boerenzoon. En ik? Ik kwam verschillende misdaden op het spoor.

Je denkt dat het er in een dorp rustig aan toe gaat, maar het tegendeel is waar. Met mijn hond Ko richtte ik Kees & Ko detectivebureau op. Door onze inspanningen en ons geheime wapen 'Superattack', sneldrogende secondelijm, raakte gruwelijke Lenie, de koningin van de georganiseerde plattelandsmisdaad, achter slot en grendel.

Kees & Ko detectivebureau bracht de misdaad op het platteland een gevoelige slag toe. Dankzij het bureau was het hier weer veilig en kon iedereen weer rustig ademhalen. Nou ja, veilig... Ik heb mijn gasmasker klaarliggen voor als boer

Jan, onze buurman, de inhoud van de varkensstal over zijn akkers gaat sproeien. Aan het platteland kan een luchtje zitten.

Ik moet wel bekennen dat ik het detectivebureau niet alleen met Ko bemande. Twee echte plattelandsbewoners, Teuntje en Bas, denken dat ze mededirecteur en vennoot zijn. Ik heb besloten de waarheid maar niet te vertellen. Bas is een kop groter dan ik en met Teuntje heb ik intussen al tig keer vaste verkering gehad.

Toen mijn zus en ik aan het eind van de vakantie de deur van de vakantieboerderij achter ons dichtdeden, dachten we dat het hoofdstuk platteland nu ook afgesloten was. Maar we hadden het mis. Als detective weet je dat als het gevaar op de loer ligt, je alleen maar op jezelf kunt vertrouwen.

Ik wil graag mijn regels met je delen. Zeg maar: Kees voor gevorderden.

De belangrijkste hoofdregel:

Vertrouw niemand

Waarom ik die regel zo groot schrijf? Omdat ik helaas ook wel eens een steekje heb laten vallen. Het gebeurt niet vaak, maar ik ben ook een mens en mensen maken af en toe fouten.

Mijn zus en ik vertrouwden onze ouders; we dachten dat die vakantie op het platteland een tijdelijke bevlieging was. Dat was een grote vergissing. Want voor we het wisten, stond er een enorme verhuiswagen voor ons huis. Mijn ouders hadden besloten voor altijd in de vakantieboerderij te gaan wonen.

'Het platteland,' zei mijn vader, 'biedt een betere kwaliteit van leven.'

Vertrouw dus nooit iemand en al helemaal niet je ouders!

Zo komt het dat ik sindsdien op een boerderij woon. Na de verhuizing raakte ik weer in een bloedstollend avontuur verzeild. Gruwelijke Lenie, die veilig achter de tralies had moeten zitten, spreidde haar tentakels als een octopus tussen de tralies door uit. Zij was de baas van een internationale roofbende van scooters. Maar, je zult het al geraden hebben, Kees & Ko detectivebureau bracht het allemaal tot een goed einde.

Zo, ik heb jullie weer even bijgepraat. Dit was Kees voor beginners. Het echte werk komt nu. Het wordt tijd om jullie te vertellen over mijn belevenissen van de afgelopen weken. Ga rustig zitten, maak je snelheidsgordels vast en stap met mij mee in de achtbaan. Want daar leek het de afgelopen tijd erg op.

Kees

Directeur, bedenker, adviseur en oprichter van Kees & Ko detectivebureau

P.S. Voor alle lees- en Kees-weetjes: www.kees-en-ko.nl

Het einde
van de zomervakantie

De zomer was voorbij en mijn logeerpartij bij mijn vrienden in de grote stad zat erop. Ik voelde me alsof ik tussen de stad en het platteland in zat. De stad trok aan mijn ene arm en het platteland aan mijn andere.

In de stad miste ik de stilte en op het platteland de scooters en de ziekenwagensirenes. Veel tijd om over dit soort zaken na te denken had ik niet, want ik stond op het punt naar een nieuwe basisschool te gaan.

Openbare basisschool 'De Regenboog' wachtte op mij.

Arme ik, want ik zat er helemaal niet op te wachten en wist ook niet wat ik kon verwachten.

Ik zat er natuurlijk niet op te wachten om in een combinatieklas te komen van groep zeven en acht, en de meester te delen met een andere groep.

Ik zat niet te wachten op een school die naar oude wc's ruikt en waar ze nog met computers van meer dan tien jaar oud werken.

'Het valt niet mee Ko,' zei ik tegen mijn goede trouwe vriend en viervoeter. 'De baas gaat door een dalletje, terwijl de baas alleen maar wil pieken. Begrijp je dat, Ko?'

Het leek erop dat Ko knikte en ik had niet anders verwacht. Ko heeft tenslotte alles, zijn opvoeding en opleiding, aan mij te danken.

Hij is misschien nog niet de beste speurhond ter wereld. Maar de wil is er, al moet hij wel mijn wil volgen. Want er kan er maar één de baas zijn. Ja, toch?

Het moet niet gekker worden als een hond als Ko opeens een eigen willetje zou hebben. Zo kun je een detectivebureau niet leiden. Er is één baas, al denkt de rest van de vennoten, en daar bedoel ik natuurlijk Bas en Teuntje mee, daar anders over.

Maar ik dwaal af, laat ik meteen ter zake komen: zoals altijd komt een ramp nooit alleen. De meeste rampen komen tegelijk.

Misschien is het nog niet duidelijk.

Er is een ramp die als de supersnelle lijm Superattack aan mij blijft plakken.

Bij mijn afscheid van de stad sloot ik als cadeautje onze gymleraar, de spiermassa, en zijn geliefde, juf Drijver, in de bezemkast op door een beetje Superattack sneldrogende secondelijm in het slot te spuiten. Gewoon een geintje, een soort afscheid van mijn tijd daar op school.

Van mijn goede vriend Jurriaan had ik gehoord dat de spiermassa na dit voorval van school vertrok en dat juf Drijver ook ergens anders was gaan werken. Misschien zijn ze op liefdesreis rond de wereld gegaan, dacht ik toen. Het kan gek lopen, maar dat was dan door mij gekomen. Kees & Ko huwelijksbureau! Wel raar dat ze me niet hadden uitgenodigd voor het feest. Sommige mensen kunnen zo ondankbaar zijn. Dankzij mij hadden ze tenslotte het geluk gevonden.

Maar goed, ik was niet zo gek op deze twee personen, dus ik was bepaald niet verdrietig dat ik hen niet meer zou tegenkomen.

VERTROUW NOOIT IETS OF IEMAND

Hoe kon ik deze regel vergeten?

Op de ochtend van de eerste schooldag zouden Bas en Teuntje mij komen ophalen om de eerste schooldag samen naar 'De Regenboog' te gaan. Zij zaten ook in groep acht.

Ik was die morgen vroeg opgestaan om mijn zus Caro moed in te spreken. Zij zit al op de havo en moet nu elke dag twintig kilometer heen en terug fietsen.

'Heb je je regenpak bij je?' riep ik toen ze op haar fiets stapte.

'Nou maar hopen dat de wind niet draait, hè? Anders moet je twee keer tegen de wind in trappen.'

'Moet ik jou zo even de sloot in trappen,' zei Caro boos.

Kijk, dan probeer je een keer iets aardigs te zeggen en dan is het nog niet goed. Nee, het leven van een detective is niet altijd cola met een zak paprikachips.

Toen Bas en Teuntje mij kwamen ophalen, waren ze helemaal opgewonden.

'We hebben een nieuwe juf en meester,' vertelde Teuntje.

Alsof mij dat iets kon schelen, alles was nieuw voor mij en dat kon ik er ook nog wel bij hebben. Ik had besloten dat dit ene jaar groep acht nog wel te doen was. Daarna zou ik toch naar de middelbare school gaan. Dit vooruitzicht zou me wel op de been houden, plus misschien nog wel een stuk of wat spannende zaken voor het detectivebureau. Dat lag namelijk doodstil op zijn gat. Het platteland was door ons ingrijpen een stuk veiliger geworden. We moesten afwachten of er nog iets ging gebeuren.

We fietsten naar school en de tranen stonden in mijn ogen.

Niet van ontroering, maar omdat boer Jan weer eens de varkensstallen had leeggespoten op zijn akkers.

Bij de school stond de biebbus. Mijn maag draaide zich om.

Daar stond ook Trees van de bieb; die had ik al een keer eerder ontmoet deze zomer. Zou ze ons nu op de lijst zetten voor het kinderboekenfeest? *Forget it*, dacht ik bij mezelf.

Lees-Trees hield een megafoon voor haar mond. 'De biebbus moet blijven,' gilde ze over het schoolplein.

Er hing een spandoek aan de bus, en er stond een man bij met een camera. Hij wenkte ons.

Mijn gedachten gingen pijlsnel.

Nooit, dacht ik. Alleen over mijn dooie lijk ga ik met die biebbus op de foto. Stel dat ze die foto in de stad zagen, dan zou ik toch nooit meer serieus genomen worden. Straks krijgen we hier ook nog een prinses op bezoek die het lezen wil stimuleren. Je moet zo uitkijken op het platteland. Voordat je het weet, hebben ze in de grote stad alweer een vooroordeel over je.

Kijk mij nou, dacht ik. Ik woon amper op het platteland en dan verdedig ik het al. Zouden ze wel beseffen dat met mijn komst alles zou gaan veranderen?

'Ik ga echt niet met die bus op de foto,' riep ik vol walging.

'Doe niet zo flauw,' zei Teuntje, toen ik snel wegliep voor de fotograaf. 'Je kunt er hartstikke leuke boeken lenen en je hebt toch ook geen zin om helemaal naar de stadsbibliotheek te fietsen?'

Ik moet zeggen dat ze wel een punt had.

Toen viel mijn mond open. Want wie stapten er uit de bus?

Je raadt het echt nooit: de spiermassa en de dramajuf. Zouden zij nu bij openbare basisschool 'De Regenboog' werken? Ik voelde het bloed uit mijn gezicht trekken en hapte naar adem.

'Zie jij spoken?' vroeg Bas.

Ik wilde ja zeggen, maar kon geen woord uitbrengen. Het leek alsof mijn lippen met Superattack aan elkaar vastgeplakt zaten.

Eén ding wist ik zeker: het zou een heet najaar worden.

Een heet najaar

Zoals ik al eerder vertelde, had ik het vermoeden dat het een heet najaar zou worden. En ik kan je vertellen: dat werd het.

Drie schoolweken waren inmiddels voorbij en het viel allemaal niet mee.

Ik zal het maar even op een rijtje zetten:

1. Mijn oude gymleraar, alias de spiermassa, is president-directeur van het strafkamp 'De Regenboog' geworden. 'Jij bent gewaarschuwd,' heeft hij tegen mij gezegd.
2. Juf Drijver is dramajuf geworden bij 'De Regenboog'. Ze heeft mij gedreigd met aangifte bij de politie en een opvoedingsgesticht bij een misstap. (Moet je nagaan, je laat mensen elkaar ontmoeten in een bezemkast en ze vinden elkaar daar voor de rest van hun leven en wat krijg je daarvoor terug? Helemaal drie keer niks.)
3. Oma Klappertand, de moeder van mijn moeder, komt zonder gehoorapparaat twee weken bij ons logeren omdat haar

bovenburen lekkage hebben. Ze is net gearriveerd. Misschien dat ik mijn vader wat Superattack geef, dan kan hij haar klapperende kunstgebit vastplakken. Ze kletst namelijk aan één stuk door.

Ik moet nu mijn slaapkamer met Caro delen. Die heeft een witte krijtstreep door het midden van mijn kamer getrokken. 'Ik ga je meppen,' heeft ze gedreigd, 'als je daar ook maar een stap overheen zet.'

4. Mijn oom Henk de Neus en tante Annemarie de Danseres Zonder Naam komen dit najaar op het landgoed van jonkheer Gieter een cursus schilderen volgen en ze zetten hun caravan dan bij ons neer. Mijn vader is het daar, net zoals ik, niet mee eens, maar mijn moeder had het beloofd. 'Je blijft uit de buurt van die caravan,' dreigde mijn vader, 'want anders...' Misschien terug naar de stad, hoopte ik stilletjes. Mijn vader moet nog rillen als hij denkt aan de eerste keer dat ze hier logeerden en ze geheel buiten mijn wil met Superattack opgesloten raakten in de Kipcaravan. En wie kreeg de schuld?

5. Teuntje heeft het voor de vijftiende keer uitgemaakt en Bas wil me even niet meer spreken. En waarom? Omdat ik hun had aangeboden bijles Nederlands te geven. Gewoon uit aardigheid, zeg maar, een soort ontwikkelingshulp van iemand uit de stad aan mensen met talent in de buitengebieden.

6. Mijn klas bestaat uit kinderen van alle leeftijden. Ik vroeg aan de leraar of we nu met de kleintjes ook zakdoekje-leggen-niemand-zeggen moeten doen, want daar zou ik niet aan meedoen, omdat ik ook mijn grenzen heb.

15

'Misschien dat je zin hebt om zo dadelijk het schoolplein schoon te vegen,' was zijn antwoord.

En ik bedoelde het gewoon als een geintje. De humor van het platteland en de stad ligt soms zo ver uit elkaar.

Kortom, ik had het niet zo makkelijk.

Het gaat allemaal om vertrouwen en ik kreeg het gevoel dat niet iedereen mij dat gaf. Zal ik het zo samenvatten: het leven van een detective is eenzaam aan de top.

Een lichtpuntje
in de duisternis

De wekker gaf zeven uur aan. Over twee uur begon het strafkamp weer. Ik keek op de kalender boven mijn bed. Ik had er al meer dan een week met oma Klappertand op zitten.

Mijn vader zagen we niet zoveel in de huiskamer. Mijn moeder had geen stem meer over van het gillen in de oren van oma, want oma's gehoor was hard achteruitgegaan. In Caro's gedeelte van mijn kamer leek het alsof er een aardbeving in de kledingkast had plaatsgevonden.

Kortom, toen ik naar het raam liep en naar buiten keek, was ik niet in mijn allerbeste humeur.

Vanuit mijn raam keek ik naar het grote huis van jonkheer Gieter. Bij het hek van de oprijlaan van jonkheer Gieter stond een witte auto. Nou rijden er natuurlijk wel meer witte auto's rond, maar er viel me iets op. Dat komt omdat ik een detective ben. Dat ben je 24 uur per dag.

Ik pakte mijn verrekijker. Bij de auto stond een man en hij had een verrekijker, dat zag ik duidelijk door mijn verrekijker. Hij keek naar het huis van de jonkheer.

Ik voelde mijn hart bonzen. Zouden we een zaak hebben? Zou dit het begin zijn van een nieuw avontuur voor het beroemde Kees & Ko detectivebureau? Ik noteerde het kenteken: een goede detective is een goed voorbereide detective.

Ik voelde iets, ik weet niet precies wat, maar ik was er zeker van dat er een ontzettend misdadige zaak aan zat te komen. Het detectivebureau zou weer wat te doen hebben en dat werd tijd ook. Er gebeurde niet zoveel. Ja, er was gisteren een bulldozer gestolen bij aannemingsbedrijf Kneppelhout, dat was alles. Maar deze man met die witte auto gedroeg zich verdacht en een onderzoek was op zijn plaats.

Alleen moest ik het eerst weer goed maken met mijn vrienden Bas en Teuntje. Het platteland kan knap eenzaam zijn zonder vrienden.

Beter één zaak in de hand...

Ko stond bij de keukendeur op mij te wachten. Hij wilde tegen mij opspringen en me een lik over mijn gezicht geven.

'Niet doen, Ko,' sprak ik hem ernstig toe. 'Je weet heel goed dat maestro Kees niet van een natte dweil in zijn gezicht houdt.'

Ik wees naar de instructie-dvd van Martin Gaus. Meestal is dat genoeg om Ko weer bij de les te krijgen. Afspelen hoeft niet eens.

Ik deed de deur van de keuken open. Daarna ademde ik diep de buitenlucht in. Alles zou anders worden met ingang van nu, dacht ik bij mezelf.

Ik keek op de klok in de keuken; ik moest opschieten want anders moest ik me nog gaan haasten. Zeker als Caro voor mij in de badkamer zou gaan.

'Ik heb nu eenmaal meer tijd nodig dan jij,' is altijd haar antwoord.

'Elke verbouwing kost tijd,' roep ik dan.

Toen ik me had aangekleed en naar school fietste, probeerde ik te bedenken hoe ik het weer goed zou kunnen maken met Teuntje en Bas. Terwijl ik langs café Het Gouden Hoofd fietste, het café van de ouders van Bas, zag ik de witte auto weer. De man maakte nu foto's en noteerde dingen in een opschrijfboekje.

Ik besloot even over te steken. Ik ging met mijn fiets aan de hand naast hem staan.

'Zoekt u iets?' vroeg ik brutaal. Ik wees naar het karrenwiel boven op de schoorsteen. 'Of hoopt u dat de ooievaars vandaag komen?'

'Moet jij niet naar school?' sprak de man onvriendelijk.

Ik keek hem extra lang aan. Dat moet je altijd doen als detective: iemand geheimzinnig lang in de ogen kijken. Dan denkt de verdachte dat je iets weet, maar hij weet niet wat je weet.

Want de man was nu zeker verdacht. Zou ik op het spoor zijn van een grote inbraakbende? Ik kon niet wachten mijn vrienden het grote nieuws te vertellen.

Op het schoolplein zag ik Teuntje en Bas staan. Hoe zou ik het aanpakken? Ik moest het goed zien te maken en dat zou betekenen dat ik mijn excuses moest aanbieden. Maar vooral dat ik moest zeggen dat ik ongelijk had.

Juf Drijver stond op het schoolplein en klapte in haar handen.

Ik ging naast haar staan. Argwanend keek ze me aan. Toen vertelde ze dat ze nog een goede hoofdrolspeler zocht om mee te spelen in de kinderopera op school ter gelegenheid van de Kinderboekenweek. 'Dierenvrienden is het thema,' vertelde ze.

Kinderopera – het woord alleen al klonk als een vies hoestdrankje.

'Wie speelt er nog meer mee?' vroeg ik.

Juf Drijver liep een beetje rood aan. Ook Lees-Trees kwam erbij staan.

'Wat leuk dat jij mee wilt doen,' riep ze blij.

Ik keek om me heen. Had ik iets gemist, had ik mijn vinger opgestoken als bij het bieden op een veiling? Of ging het platteland weer met mij aan de haal? Het platteland kent zijn eigen wetten en voor je het weet zit je er tot aan je middel in.

Juf Drijver probeerde haar vege lijf te redden. 'Het is niks voor Kees, echt helemaal niks.'

Hallo, dacht ik toen bij mezelf, dat bepaal ik nog altijd zelf wel.

'Wie spelen er nog meer mee?' herhaalde ik mijn vraag. Lees-Trees wees onder andere naar Teuntje en Bas.

Kijk, hier is weer een bewijs van een van de hoofdregels die in elk handboek voor beginnende detectives staat:

TOEVAL BESTAAT NIET

Dit was mijn kans om weer in de buurt van Teuntje en Bas te komen. Zo kon ik het weer goedmaken en hen bovendien betrekken bij mijn vermoeden dat er zich donkere misdaadwolken samenpakten boven ons dorp.

'Ik doe heel graag mee, eigenlijk heb ik altijd al in een kinderopera mee willen spelen. Ik zou er alles voor over hebben. Ik zou...' Toen besloot ik niet verder te overdrijven, anders was het misschien niet geloofwaardig.

'Leuk,' riep Lees-Trees. 'Dan hebben we nu de achterkant van het circuspaard.'

Ik deed maar alsof ik begreep wat ze bedoelde.

De spiermassa kwam er ook bij staan.

'Je gaat samen met Bas in een paardenpak. Hij mag de voorkant zijn en jij de achterkant,' zei juf Drijver vals.

'Hoe heet die opera eigenlijk?' vroeg ik.

'Het circuspaard zonder staart,' antwoordde juf Drijver.

De spiermassa keek mij doordringend aan. 'Ik heb hem geschreven,' zei hij trots. Hij pakte mijn bovenarm stevig beet. 'Je hebt al een gele kaart; één foutje en je staat voorgoed buitenspel.' De spiermassa praat graag in voetbaltermen. Lees-Trees, de spiermassa en juf Drijver liepen van ons weg.

'Wat is jouw rol eigenlijk?' vroeg ik aan Teuntje, die erbij was komen staan.

'Ik ben de baas,' antwoordde ze glimlachend. 'Ik zal jou gewoon wat bijlessen in paardrijkunst geven, speciaal voor kinderen met achterstand uit de stad.'

Ik stak mijn hand uit: een goede detective moet zich af en toe een goede verliezer tonen. Dat ik hiervoor een rol als de kont van een paard in een achterlijke kinderopera moest aannemen, moest ik daar maar voor overhebben. Dit nieuws zou de stad nooit mogen bereiken. Het belangrijkste was te voorkomen dat mijn zus Caro erachter kwam. Die zou het namelijk net zo makkelijk even op internet zetten.

'Zijn we nu weer vrienden?' vroeg ik aarzelend.

Bas leek even na te denken. 'Vooruit,' zei hij lachend.

'Gelukkig,' antwoordde ik toen. 'Zonder jullie zou ik nooit de zaak die ik vanmorgen op het spoor ben gekomen, kunnen oplossen.'

'Een nieuwe zaak?' vroeg Teuntje verbaasd. Alsof ze ervan uitging dat er geen misdaden meer zouden zijn op het platteland.

'Yep,' antwoordde ik.

Ik vertelde over de man met de verrekijker die ik bij het kasteel en bij café Het Gouden Hoofd had gezien.

'Wat zou die moeten?' vroeg Bas. 'Ik heb niks gezien vanmorgen. Hij zou toch niet willen inbreken in het café van mijn ouders?'

Ik haalde mijn schouders op. 'Het zou zomaar kunnen. Ik denk dat we hem scherp in de gaten moeten houden. Mijn gevoel zegt dat er iets staat te gebeuren.'

Teuntje en Bas keken mij met open mond aan. Alsof ze vissen op het droge waren die naar adem hapten.

'Zowaar ik Kees heet,' sprak ik toen.

Voordat we de school in gingen, spraken we af dat we na schooltijd in ons hoofdkantoor, de zolder van de schuur bij ons huis, zouden vergaderen. Elke zaak begint met een goed plan. Een goede detective is een goed voorbereide detective.

Bij de deur stond juf Drijver. Of zullen we haar maar juf Slavendrijver noemen? Ze had een schema met repetitiedagen voor de opera klaar en dat betekende een forse streep door onze plannen voor het detectivebureau. Vanaf de volgende dag zouden we elke dag na schooltijd in het gymlokaal moeten oefenen. Ik rilde.

Een kat in de zak

De middag op school kroop voorbij. Ik telde de blaadjes die van de bomen vielen. Ik zeg maar zo: rekenen kun je met alles. Waar ik niet op rekende, was dat we die middag een dictee kregen met allerlei veel te moeilijke woorden. Waarom moeilijk doen als het ook simpel kan?

Hoe hou ik mijn leven simpel:

1. Geen vaste verkering.
2. Geen problemen met Caro.
3. De spiermassa en de slavendrijver lekker op wereldreis.
4. Bas lekker laten denken dat hij de baas is, terwijl je weet dat dit niet zo is.
5. School tussen je vakanties door doen.
6. Geen logeerpartijen van de Neus, de Danseres Zonder Naam en oma Klappertand, om maar eens wat te noemen.

Ik kon het lijstje makkelijk met nog zo'n tien punten aanvullen.

Toen de bel ging en we klaar waren om naar buiten te stormen, stond zoals elke dag de spiermassa bij de uitgang. Hij keek mij doordringend aan.

'Jij moet heel erg oppassen,' zei hij hijgend. 'Ik weet dat je iets aan het uitspoken bent, maar ik hou je in de gaten.'

Ik slikte. Zou ik een open boek zijn dat iedereen kan lezen? Het was misschien wel verstandig om me nu even te gedragen, juist nu er weer vreselijke misdrijven aan zaten te komen.

'Ik ben niet meer zoals vroeger,' zei ik zachtjes. 'Het platteland heeft me veranderd.'

De spiermassa deed een stapje opzij. 'Ik ga jou nog meer in de gaten houden, vriend. Ik vertrouw je voor geen cent. Zeker niet na wat je vroeger allemaal hebt uitgespookt.'

Ik keek om me heen. Zou hij al camera's hebben opgehangen?

Bas en Teuntje stonden op mij te wachten. Ik liep naar hen toe.

'Wat had hij?' vroeg Bas. 'Volgens mij heeft hij de pik op je.'

'Ja,' zei ik snel, 'ik weet ook niet waar dat vandaan komt.'

'Zou je denken? Ik heb wel een vermoeden, hoor,' riep hij lachend. Hij gaf me voor de grap een trap tegen mijn achterwerk. 'Maar we gaan dat paardje wel even temmen, hè Teun.'

Ik rilde, ik was mijn rol in de kinderopera even vergeten. Het platteland kan soms zo hard zijn.

We fietsten naar mijn huis toen ik opeens de witte auto voor de zandweg naar onze boerderij zag staan.

'Krijg nou wat,' riep ik. 'Ik heb jullie niks teveel gezegd. Die man van vanmorgen staat nu hier foto's te maken.'

Bas trok een frons tussen zijn wenkbrauwen. 'Dat is inderdaad verdacht. Waarom zou hij een foto maken van jullie huis? Het ziet er niet echt mooi uit.'

Ik wilde wat zeggen over het krot waar hij zelf in woont. Maar toen schoot me te binnen dat zijn huis een monument uit de zeventiende eeuw is, dus daar kon ik moeilijk mee aankomen.

Soms kan een detective beter zwijgen dan spreken. Dat is ook een regel die in elk detective-handboek terug te vinden is. Maar dat valt niet altijd mee: elke detective heeft ook een zwakke kant.

Ik haalde diep adem. 'Ja,' antwoordde ik, 'je haalt me de woorden uit de mond. Het moet een andere reden hebben.' Ik keek Teuntje aan. 'Wat zou het dan wel zijn?'

Teuntje haalde haar schouders op. 'Misschien is het gewoon een toerist die foto's maakt van het platteland.'

'Ja,' zei Bas, 'dat zou natuurlijk heel goed kunnen. Zullen we maar iets leuks gaan doen? Naar de zandafgraving, of tamme kastanjes zoeken? Ik ken een paar hele volle bomen.'

Ik voelde dat haast geboden was; het speurwerk leek al opgehouden te zijn voordat we begonnen waren. Een detective is als een terriër: die laat een tennisbal ook niet los als hij hem eenmaal tussen zijn tanden heeft. Ik zou graag willen dat Ko dat ook zou doen. Maar ik moet hem af en toe nog uitleggen

27

wat een tennisbal is. Ik heb al vaak genoeg voorgedaan hoe hij een tennisbal moet oppakken. Zonder dat hij er iets van heeft opgestoken. Ik kan je wel vertellen dat een tennisbal in je mond geen pretje is. En probeer daarna je kaken maar weer op elkaar te krijgen.

'Ik heb voor de zekerheid vanochtend zijn kentekennummer opgeschreven,' zei ik. 'Nu hebben we in ieder geval al iets voor in het dossier.'

'Dossier?' vroeg Teuntje. 'Wat bedoel je daarmee?'

'Dat we een map maken met alle bewijsstukken.'

'Zeg dat dan,' antwoordde Bas.

In mijn broek voelde ik opeens de tube met Superattack. Zou dat betekenen dat ik die binnenkort nodig zou hebben om een misdaadzaak op spectaculaire wijze op te lossen? We waren intussen vlak bij de witte auto. De man stond er nog steeds naast.

'Hebt u hier ook al ooievaars ontdekt?' vroeg ik.

Ik wilde zo spontaan mogelijk zijn. Hij moest niet achterdochtiger worden dan hij al leek te zijn.

De man gromde een beetje.

Plotseling hoorde ik een bekende stem. 'Hallo neef, ik zie dat je Antoine al hebt ontmoet.'

Ik draaide me om. Achter me stond oom Cneut, de vaste verkering van oom Eef, de broer van mijn moeder. Wat deed die hier nu weer?

'Antoine is locatiescout,' zei mijn oom.

'Locatiescout?' vroeg Bas verbaasd.

Oom Cneut legde uit dat Antoine voor een filmmaatschappij plekken uitzocht om een film te draaien.

'Het had een verrassing moeten zijn,' vertelde mijn oom. 'Maar ik zal jullie niet langer in spanning houden. In de herfstvakantie wordt hier een film opgenomen. En... omdat ik de figuranten mag uitzoeken, mogen jullie meespelen.'

Bas stond met zijn armen over elkaar. 'Als je maar niet denkt dat ik ga dansen,' zei hij.

Een jaar geleden speelden we mee met *Shakespeare de musical* die in het bos werd opgevoerd. Oom Cneut gaf de danslessen en dat viel niet altijd mee.

'Waar gaat die film eigenlijk over?' vroeg ik. 'Het is toch geen kinderfilm?'

Mijn ervaringen met musical en kinderopera waren nou niet bepaald positief. In de musical was ik een dansende boom en binnenkort zou ik gaan debuteren als de kont van een paard. Niet echt iets om op je website te zetten, toch?

'Nee hoor,' antwoordde mijn oom lachend. 'In de herfstvakantie gaan we de nieuwe film draaien van Myrna Maes.'

'Met Martijn van der Kroon in de hoofdrol?' vroeg Teuntje.

Ik zag dat ze een rood hoofd had. Dat soort dingen valt een uitgekookte detective altijd direct op. Ik wist toen dat er voorlopig geen vaste verkering met Teuntje in zou zitten. Ik had meteen een hekel aan Martijn van der Kroon. Niet dat ik zat te wachten op vaste verkering, maar het was nou ook weer niet de bedoeling dat ze er met die Martijn vandoor zou gaan. Een detective heeft ook een hart – dat wordt wel eens vergeten.

Oom Cneut lachte. 'Ja, Martijn speelt natuurlijk de hoofdrol.' Teuntje stond nu op en neer te springen.

'Ik dacht dat alle rollen al weg waren, ik had me via de website opgegeven.'

Ik keek Teuntje aan. Soms denk je dat je vrienden goed kent, maar dan blijkt opeens van niet. Zou ze zijn besmet met het 'jongensgekvirus' van Caro? Die had tenslotte eerst met Geert, Teuntjes broer, verkering gehad, daarna met ene Mathieu, vervolgens weer met Sjoerd, de zoon van Gonnie Glim. De verloren zoon van Gonnie Glim, die we uit de tentakels van Lenie, de vreselijke misdaadvrouw, hadden gered. Gonnie Glim had nu vaste verkering met de vader van Teuntje. Zou ze nu net zoals Caro allerlei posters van Martijn van der Kroon op haar slaapkamer hebben hangen?

Ik keek peinzend naar Teuntje. Vrouwen zijn een mysterie, dacht ik. Ook voor een detective.

'Je bent zeker op die Martijn,' vroeg Bas aan Teuntje.

'Niks hoor, hij is helemaal mijn type niet.'

Bas keek op zijn horloge. 'We kunnen nog naar de zandafgraving. Er is toch geen zaak om op te lossen.'

Hij heeft gelijk, dacht ik. Er was opeens geen zaak meer voor het detectivebureau. Er was niet eens een doodlopend spoor. Kees & Ko detectivebureau, de specialist op het gebied van de plattelandsmisdaad, had zich blij laten maken met een dooie mus, of een kat in de zak.

Teuntje stond ineens bij haar fiets. 'Ik heb geen tijd, bedenk ik me, ik heb mijn vader beloofd hem te helpen met het kippenhok. Doei!' En weg was ze.

Die zou vast al haar vriendinnen op de hoogte brengen, dat had ik al vaak genoeg meegemaakt met Caro.

Bas en ik keken elkaar aan. Er zat niets anders op dan met een plank onder onze armen naar de zandafgraving te gaan om daar van de heuvels af te glijden. Toen we wegfietsten, hoorde ik nog net Antoine in zijn mobieltje praten.

'Vanavond gaat het gebeuren,' hoorde ik hem zeggen. 'Maak je geen zorgen, er kan niks fout gaan.'

Het was alsof mijn hart stilstond. Nu wist ik het zeker: het detectivebureau zou binnenkort zeker in actie komen.

Mijn detectiveneus had me toch niet in de steek gelaten.

Ik kon nu met een gerust hart naar de zandafgraving gaan. Ook een detective moet zich zo nu en dan kunnen ontspannen.

We hebben een zaak

De volgende dag werd ik wakker doordat een mobieltje als een mitrailleur afging. Ik wilde me nog eens omdraaien omdat ik dacht dat het om een liefdesslachtoffer van Caro ging.

Maar toen er vanuit de andere hoek van de kamer geen reactie kwam, begreep ik dat het mijn mobieltje was.

Er was een sms van Bas: **Alarmfase 1, Lenie is ontsnapt!!!!!**
Ik viel van schrik bijna uit bed.

Lenie, de gevaarlijkste misdadigster aller tijden, had de benen genomen. Zou ze lakens aan elkaar hebben geknoopt en zo naar beneden zijn gegleden, nadat ze met een vijl die verstopt zat in een taart, de tralies had doorgevijld? Bij Lenie verbaasde me niets meer. Lenie is als een tropische orkaan die elke keer weer terugkeert.

Mijn hersenen werkten snel; dat heb je als je detective bent. Ik maakte een lijstje:

1. De man met de witte wagen, locatiescout Antoine, wist van de ontsnapping.
2. De filmopnamen zouden een dekmantel zijn voor vreselijke misdrijven.
3. Ergens op de locatie zou de misdaad plaatsvinden.
4. De directie van het detectivebureau liep groot gevaar. Lenie zou wraak willen nemen op degenen die hadden gezorgd dat ze werd gearresteerd.

We moesten zo snel mogelijk bij elkaar komen op de zolder van de schuur naast de boerderij.

Ik sms'te Bas: **Over een kwartier bij het hoofdkwartier?**

Hij sms'te meteen terug: **We staan al buiten voor de deur.**

Ik voelde me vanbinnen warm worden: met deze vrienden stond ik er als detective niet alleen voor. We zouden beroemd worden en op de voorpagina's van alle kranten staan.

Ik besloot de dagelijkse wasbeurt over te slaan en schoot mijn kleren in. Ik moest wel voorzichtig de trap af lopen om oma Klappertand niet wakker te maken. Dat hadden we afgesproken met mijn vader. Een uitgeruste oma Klappertand is een tevreden oma Klappertand. Ik hoorde haar rustig doorsnurken.

In de keuken sprong Ko tegen mij op. Om allerlei problemen met natte tongen in mijn gezicht te voorkomen, wees ik meteen naar de dvd van Martin Gaus.

Ik hoorde Ko grommen – die dvd begon zijn nut te bewijzen.

'Braaf Ko, de baas gaat op pad, er zit een hele grote zaak voor het bureau aan te komen.'

Ko keek me met zijn scheve koppie aan: soms lijkt het net alsof hij precies begrijpt wat ik allemaal doormaak.

Bij de schuurdeur stonden Teuntje en Bas.

Teuntje hield de krant omhoog: het was voorpaginanieuws.

'Wat een nieuws, hè?' gilde Teuntje.

'Ssst,' zei ik en ik wees naar de boerderij, 'mijn oma slaapt nog.'

Bas sloeg me op de schouder. 'Wees maar niet bang, we zullen je beschermen tegen gruwelijke Lenie.'

Ik voelde me in elkaar krimpen. Lenie vond mij niet bepaald aardig. Dankzij mij was ze er twee keer gloeiend bij geweest. Ik kon niet wachten totdat ik het artikel in de krant had gelezen.

'Geef mij die krant eens,' zei ik en ik begon te lezen.

Uitbraak uit detentiecentrum

Van onze verslaggever

Gisteravond is een gevangene op spectaculaire wijze ontsnapt uit het detentiecentrum De Rietkamp. Bij de zwaarbeveiligde gevangenis werd door een bulldozer de toegangspoort geforceerd, net op het moment dat de gevangenen werden gelucht.

De gevangene wist in een gereedstaande vluchtauto te ontkomen. Van haar ontbreekt tot nu toe elk spoor, evenals van de bestuurder van de bulldozer. De gevangene maakte gebruik van een zwarte personenauto die door de politie reeds is teruggevonden en die gestolen bleek te zijn. De bulldozer was ontvreemd bij aannemingsbedrijf Kneppelhout.

De politie heeft de zaak in onderzoek en vraagt de burgers goed op te letten en eventuele tips onmiddellijk te melden.

De directie van de gevangenis weigert gedurende het onderzoek elk commentaar.

Het gaat om Lenie G. Lenie G. zat een langdurige gevangenisstraf uit wegens betrokkenheid bij een omvangrijke drugssmokkel en een internationale handel in gestolen scooters met vertakkingen naar Bulgarije.

Wij vroegen de zeventienjarige Mathieu Kneppelhout om commentaar. Zijn moedige optreden leidde tot het aanhouden van de scooterbende en het bevrijden van een elfjarig gekidnapt kind.

'Ik ben er klaar voor,' was zijn commentaar. 'Als het moet, zal ik helpen waar ik kan, zodat de daders hun verdiende straf verder kunnen uitzitten.'

Het is een geruststellende gedachte dat er zulke moedige mensen zijn die de politiemensen bij hun zware taak kunnen assisteren.

Mijn mond viel open. Met geen woord werd gesproken over het optreden van het detectivebureau dat de zaken had opgelost. En dan stond ik ook nog als elfjarig kind vermeld. Een detective krijgt nooit de eer die hij verdient.

En dan die onderkruiper van een Mathieu. Ik rilde bij de gedachte dat die gladde aal bijna mijn zwager was geworden. Ik ergerde me wild. Ik was met stomheid geslagen en dat heb ik niet snel.

'We zullen op onderzoek uit moeten,' hoorde ik Teuntje zeggen.

'Maar waar gaan we beginnen?' vroeg Bas.

35

Teuntje keek me aan, ze lachte vriendelijk naar me. Ik voelde me opnieuw warm worden vanbinnen. Ik wist wat dit betekende. Het liefdesvirus had opnieuw bezit van me genomen.

'Laten we in de schuur een plan maken,' zei Teuntje. Ze kneep zachtjes in mijn arm. Toen wist ik dat er weer vaste verkering aan zat te komen. De liefde is als een onweersbui boven een meer. Hij kan elk moment losbarsten. En ik zal je wat vertellen: ik voelde me prettig.

Op onderzoek

We zaten boven op de vliering van ons hoofdkwartier, de plek waar al vaker ons geheime onderzoek was gestart. Teuntje had een aantekenboek op haar knieën. Ik somde voor hen nog even de omstandigheden en betrokken personen op.

1. De man met de witte auto, de locatiescout Antoine, was een hoofdverdachte.
2. De film was een perfecte dekmantel om misdaden te maskeren.
3. De bulldozer waardoor de ontsnapping mogelijk was, kwam van de firma Kneppelhout: het familiebedrijf van de vader van Mathieu Kneppelhout.

'Waar zullen we beginnen?' vroeg Bas. 'Misschien kunnen we een kijkje nemen bij de firma Kneppelhout.'

'Dat is een goed idee,' antwoordde ik. 'Maar wanneer zullen we dat gaan doen?'

'Na school,' zei Teuntje.

'Dat kun je nou wel zeggen,' antwoordde ik. 'Maar we zien een klein probleempje over het hoofd.'

'Wat dan?' vroeg Bas.

'Vijf lettergrepen,' riep ik. 'Het begint met kinder en het eindigt op opera.'

'Shit,' riep Bas, 'ik was die rotopera helemaal vergeten.'

'Ik niet,' zei ik snel, 'hoewel ik daar wel mijn best voor heb gedaan.'

'Dan moeten we morgen maar gaan,' opperde Teuntje. 'Dan hebben we de hele zaterdag.'

'Tot de herfstvakantie zitten we aan die opera vast,' riep ik.

'Misschien moeten we iets bedenken om onder die opera uit te komen. Ik zou er alles voor over hebben om niet het achterwerk van een paard te hoeven spelen. Ik wens duizend vallende sterren, zodat ik duizend wensen kan doen om niet in de opera van de spiermassa mee te hoeven spelen.'

'Ik heb geen idee hoe we daar nu onderuit kunnen komen,' zuchtte Bas.

Teuntje keek op haar horloge. 'We moeten opschieten, anders komen we te laat voor school.'

Ik rende nog snel even naar de keuken en propte een boterham in mijn mond. We waren net op tijd voor de tweede bel.

De hele dag zat ik in spanning en ik wilde het liefst meteen naar het terrein van Kneppelhout om daar met ons onderzoek te beginnen. Geduld is ook voor een detective een goede eigenschap, maar niet altijd makkelijk op te brengen. Zeker als je weet dat je zo dadelijk in de achterkant van een paardenkostuum moet kruipen.

Het valt niet altijd mee om Kees te zijn, laat dat duidelijk zijn.

Ik had voor het eerst geen oplossing en wist niet hoe we onder die opera uit moesten komen.

Maar zoals ik als detective al vaker heb gezegd:

TOEVAL BESTAAT NIET

Toen ik me tijdens het gezamenlijk lezen een beetje zat te vervelen, speelde ik met een rood potlood. Ik maakte kleine stipjes met de punt van het potlood op mijn arm. Bas keek opeens naar mijn arm.

'Voel je je wel oké?'

'Hoezo?'

'Je zit onder de uitslag. Misschien heb je de rode hond of de pokken.'

Ik slikte. Alsof ik nog besmet kon worden door zulke kleuterziekten.

Maar toen bleek weer hoe snel de hersenen van een superdetective kunnen werken. Je heet Kees of je heet Kees. Ja, toch?

'Ik heb een oplossing voor het probleem kinderopera,' fluisterde ik.

Bas hing aan mijn lippen. Kees de superdetective, de schrik van elke plattelandscrimineel, was weer helemaal terug van nooit weggeweest. 'Wat dacht je van een allergische reactie op een zekere stof?'

Bas keek me met grote ogen aan.

'De stof waarvan het paardenkostuum is gemaakt dat we straks moeten aantrekken.'

Er verscheen een lach op Bas' gezicht. 'Briljant,' zei hij slechts.

Ik deed natuurlijk alsof ik heel bescheiden was.

'Hoe doen we dat dan met Teuntje? Als we alle drie allergisch zijn, valt het misschien op.'

Ik moest hem daar gelijk in geven.

We keken voor ons uit.

Toen stootte Bas me aan. 'Ik weet iets. Als ze oefent om op onze rug te zitten, moet ze vallen en doen alsof ze haar enkel heeft verzwikt.'

Bij ons op de rug zitten? Het was maar goed dat ik dit niet eerder wist. De kinderopera was een nachtmerrie. Een samenzwering van Lees-Trees, de spiermassa en juf Slavendrijver. Ze hadden het vroeger als kind niet leuk gehad en nu wilden ze wraak op ons nemen.

Het leven lachte me weer toe. De kinderopera zat er voor mij op en ik kon me gaan concentreren op wat werkelijk belangrijk was: het voorkomen van een misdaad die vreselijke Lenie nu aan het voorbereiden was. Want één ding was zeker: van Lenie waren we nog lang niet af.

Teuntje was wildenthousiast over ons plan. Natuurlijk, wat dacht je anders? Ik was blij dat Bas en ik zo op elkaar ingespeeld begonnen te raken.

Toen we na de middagpauze weer de school in liepen, stond de spiermassa in de gang. Hij trok een wenkbrauw op toen ik voorbijliep. Eigenlijk best wel vervelend, dat wantrouwen. We hebben een paar kleine botsingen gehad, maar je moet toch ook wel tegen een geintje kunnen.

Ik was blij toen het drie uur was. Bas en ik glipten de wc in met elk een rood potlood in de broekzak. Ik drukte Bas op het hart om de stippen op plekken te zetten die niet zichtbaar waren voor de spiermassa.

'Ik ben niet achterlijk, hoor,' was zijn commentaar.

Sommige mensen kunnen zo overgevoelig reageren. Daarom is het beroep van detective ook zo lastig. Je moet met zo veel zaken rekening houden. Een detective moet mensenkennis hebben. Nou kan ik zeggen dat ik een mensenmens ben, dus dat zit wel goed.

Op de wc zette ik overal op mijn lichaam rode stippen.

Toen we klaar waren, liet ik een stuk van mijn buik zien.

Bas trok een vies gezicht. 'Het lijkt net echt man.'

Teuntje stond al in de gymzaal. De anderen die in de opera zouden meespelen, stonden bij de klimrekken opgesteld. We gingen bij hen staan – op onze sokken natuurlijk, want de spiermassa *himself* stond te controleren of iedereen zijn schoenen had uitgetrokken.

We kregen van juf Slavendrijver een papiertje met tekst. Op dat van mij en Bas stond helemaal niks.

'Er staat niks op mijn papiertje,' riep ik door de zaal.

'Bij mij ook niet,' gilde Bas.

De spiermassa kwam bij ons staan met zijn armen op zijn rug.

'Ik begrijp dat hier iemand commentaar heeft op mijn musical. Heb je ooit van een sprekend paard gehoord?'

'Nee,' zeiden een paar slijmerds achter mij.

'In een opera kan zelfs een theekopje spreken,' floepte ik eruit.

'In mijn opera niet. En ik zou mijn mond verder maar houden, want anders kun je het schoolplein gaan vegen.'

Ik besloot dat het beter was om mijn mond te houden.

Lees-Trees was inmiddels ook gearriveerd; ze lachte zuinig naar mij. Wat had ik haar toch aangedaan?

Toen brak het moment aan waarvoor ik had gevreesd: juf Slavendrijver kwam met het paardenpak.

Nu heb ik altijd al een grote fantasie gehad. Maar er was toch wel erg veel verbeelding voor nodig om in dit pak een paard te zien. In de verte had het iets van een koe. Maar als ze hadden gezegd dat het een levende knakworst voorstelde, dan had ik dat ook geloofd.

Omdat ik nogal blij was dat die kinderopera er voor ons bijna opzat, besloot ik juf Slavendrijver de hemel in te prijzen.

'Welk paard had u in gedachten toen u dit prachtige pak maakte?'

Op de een of andere manier voelde Lees-Trees zich aangesproken. Ze keek me boos aan. Zou ze denken dat ik vond dat ze op een paard leek? Nou ja, toen ik haar beter bekeek was die vergelijking nog niet eens zo gek.

'Dank je wel voor het compliment,' zei de slavendrijver zuur.

Ze hield de twee helften van het paard omhoog.

Ik begreep dat het de bedoeling was dat Bas en ik het pak nu zouden aantrekken. Even later stonden we als paard midden in de gymzaal klaar. Uit mijn zak haalde ik het rode potlood en zette snel wat stippen op mijn hals, gezicht en handen.

'Hup paard, hup,' hoorde ik Teuntje gillen. Ik was blij dat deze vernedering zich nooit voor een volle zaal zou afspelen.

We liepen een paar rondjes door de gymzaal. Toen moesten we stilstaan. De anderen zongen een lied:

Daar gaat het paard,
het paard zonder staart.
Is het paard dom?
Is het paard stom?
Zullen we proberen,
het paard iets te leren?
Zing maar met ons mee,
één en één is twee.
Hé paard, waar ga je heen?
Hoeveel is één en één?

Als je zo'n tekst hoort, dan wil je toch ook niet meespelen in een kinderopera?

Bas stampte twee keer met zijn voeten op de grond. We moesten stilstaan. Nu zou het erop aankomen. Teuntje ging op onze rug zitten. Nog even en dan zou ze gaan staan. Ik hield mijn adem in. Toen hoorde ik haar gillen en even later vallen.

Wat een acteertalent.

'Mijn voet, mijn voet, au, au,' gilde ze het uit van de pijn.

Bas en ik trokken ons pak uit.

Zou ze echt iets gebroken hebben? Het leek allemaal echt.

De spiermassa voelde aan haar voet en iemand haalde een natte doek. Hij keek ons aan alsof het onze schuld was. Maar wie had die stomme kinderopera in de eerste plaats bedacht?

Bas en ik vonden dat het tijd werd om de aandacht op ons te vestigen.

'Juf Drijver,' zei ik op een zielig toontje, 'ik heb overal uitslag.'

'Ik ook,' riep Bas. Hij had veel werk gemaakt van de uitslag, zag ik.

'Hoe kan dat nou weer?' vroeg de slavendrijver.

'Het komt volgens mij door de stof van het paard,' antwoordde ik. Toen begon ik overal te krabben. Bas deed ook super zijn best.

'Ik ga niet meer in dat pak, hoor,' riep hij. 'Iemand anders moet het maar doen.'

'Ik ook niet,' zei ik haastig.

We zaten nu overal te krabben.

'Ik voel me misselijk,' loog ik er nog bij.

Bas greep zijn buik beet. 'Ik heb kramp.'

De spiermassa kwam bij ons staan. 'Jullie moeten naar het ziekenhuis, misschien hebben jullie een besmettelijke ziekte.'

Hoe kwamen we van hem af? Die man was tot alles in staat.

'Het gaat alweer wat beter,' loog ik erop los. 'Volgens mij trekt het al weg. Het komt echt door de stof van het paard.

Het had niet veel langer moeten duren. Ik trek me terug.'

'Ik ook,' zei Bas

'En ik,' zei Teuntje tot slot.

Lees-Trees en de slavendrijver keken elkaar wanhopig aan.

Aan de ogen van de andere kinderen te zien voelde niemand ervoor onze rollen over te nemen.

Ik besloot een handje te helpen. 'Misschien kunt u met mevrouw Drijver het paard spelen,' zei ik tegen de spiermassa. 'En dan kan de mevrouw van de biebbus de rol van Teuntje doen.'

Ze keken me alle drie vertwijfeld aan.

'Opgelost,' zei Teuntje blij. Ze begon in haar handen te klappen.

De andere kinderen applaudisseerden mee.

Ik was trots op Teuntje. We hadden hen in hun eigen val gelokt.

Ze zochten het maar lekker uit met die suffe kinderopera. Zíj wilden het graag, wij hadden er niet om gevraagd. Wij waren blij geweest met een Harry-Potterfilm als opening van de Kinderboekenweek. Meer was niet nodig geweest.

Er is een tijd van komen en er is een tijd van gaan. We moesten gebruikmaken van de verwarring. Bas en ik namen Teuntje tussen ons in en zo strompelden we de gymzaal uit.

De spiermassa kon alleen maar naar mij wijzen. Hij kon geen woord uitbrengen. Buiten sloegen we elkaar op de handen.

Nu konden we echt aan het onderzoek beginnen.

'Morgen om tien uur bij de schuur,' stelde ik voor.

Teuntje gaf me een knipoog toen we afscheid namen. Ik wist dat de vaste verkering eerder een kwestie van uren dan van dagen zou zijn.

Verdachte omstandigheden

Het was zaterdagmorgen en ik had met Teuntje en Bas afgesproken om naar Kneppelhout te gaan.

De vorige avond was nogal rumoerig verlopen. Dat had alles te maken met oma Klappertand. De televisie deed het niet en we moesten verplicht de hele avond spelletjes spelen.

Oma kan niet tegen haar verlies, dus we kregen de opdracht van mijn vader om te verliezen. Maar hoe ik ook mijn best deed, het lukte niet om te verliezen en ik won met glans elk spelletje.

Mijn oma werd steeds chagrijniger. Mijn vader ook, en het vooruitzicht op de komende logeerpartij van de Neus en de Danseres maakte zijn humeur er niet beter op.

'Komen Eef en Cneut trouwens ook logeren?' vroeg mijn vader aan mijn moeder.

'Lief dat je daaraan denkt,' zei mijn moeder. 'Ik ga ze meteen bellen.'

Mijn vader trok zich terug in zijn studeerkamer en sloeg de

deur met een knal dicht. Ik hoorde hem nog iets zeggen over verhuizen.

Caro en ik keken elkaar hoopvol aan. Mijn zus had net een hopeloze strijd geleverd over een scooter. Die wilde ze graag hebben voor haar zestiende verjaardag. Maar volgens mijn vader had ze die nergens voor nodig.

Af en toe had ik wel met Caro te doen als ze zich in haar regenpak hees.

Later op de avond ging de woordenwisseling in de slaapkamer van mijn ouders nog even door. De boerderij is nogal gehorig.

Uit de woorden van mijn vader begreep ik dat het vooral om de familie van mijn moeder ging. Dat hij juist vanwege die familie was verhuisd en dat ze hem nu bleven achtervolgen.

Hij schreeuwde naar mijn moeder dat ze net zo goed weer konden verhuizen naar de grote stad.

Ik draaide me tevreden om. Sommige zaken hoeft een detective niet op te lossen. Die lossen zichzelf op.

Het was halftien toen ik weg wilde gaan. Net toen ik de keukendeur achter me dichttrok, hoorde ik getik tegen het keukenraam. Het was mijn vader. Hij keek slaperig uit zijn ogen. 'Wil jij iets bijverdienen vandaag?'

Ik draaide me om – wat zouden we nou meemaken? Mijn vader bood me geld aan? Als ik maar niet zijn auto hoefde te wassen of het gras maaien.

'Wat moet ik dan doen?' vroeg ik aarzelend. Met volwassenen moet je heel erg uitkijken. Voor je het weet, luizen ze je ergens in.

'Gewoon een stukje lopen.'

Ik begon argwaan te krijgen. Ik denk niet dat hij Ko bedoelde.

Toen zag ik hem naar de rolstoel van oma Klappertand kijken. Hij wil gewoon even van oma af, bedacht ik me. Maar ik zag ook een mogelijkheid: ik kon met haar naar Kneppelhout rijden. Drie kinderen, een rolstoel en een oma. Ik kon geen betere dekmantel verzinnen. Stel dat Kneppelhout iets met de uitbraak te maken had, dan zou hij toch nooit doorhebben dat we daar op onderzoek waren en hij een verdachte was. We zouden gewoon zeggen dat mijn oma gek is op bouwmachines.

Ik besloot goed te onderhandelen. 'Ik zou met Teuntje en Bas naar de zandafgraving gaan. Jij zegt altijd: "Afspraak is afspraak".'

'Dan neem je haar toch mee.'

'Hoe moet ik dat doen met dat zand?'

'Misschien kun je haar lekker in de schaduw bij een boom zetten.'

'Vindt mama het goed?'

Ik zag dat mijn vader naar zijn portemonnee greep. In mijn geopende hand legde hij een briefje van vijf. Ik bleef hem met mijn uitgestoken hand aankijken en toen legde hij er een extra briefje van vijf bovenop. Een detective moet ook aan de zakelijke kant denken. Goed kunnen onderhandelen over geld is een eigenschap die elke detective moet hebben.

Ik sms'te voor de zekerheid naar Teuntje dat ik de plannen iets veranderd had.

Hoezo? schreef ze terug.

Omdat mijn oma meegaat.

Komt ze ook bij het detectivebureau?

Doe even normaal. Bejaarden verdenkt niemand.

Topidee.

Weet ik, wilde ik sms'en. Maar je moet soms ook je bescheidenheid tonen. Het is moeilijk, ik weet het. Maar ook wel weer een uitdaging.

Om twaalf uur bij Het Gouden Hoofd? sms'te ik in plaats daarvan.

Okidoki!

Om de tijd te doden besloot ik een wandeling te maken met Ko.

We liepen de landweg in die bij het huis van Jonkheer Gieter hoorde. Maar hoe vaak heb ik het al niet gezegd:

TOEVAL BESTAAT NIET

Aan de achterkant van het huis stond Antoine met iemand te praten. Ik vertrouwde hem voor geen cent na het telefoongesprek dat ik had opgevangen.

'Ssst Ko,' zei ik, 'denk erom: je weet welke dvd ik ga afspelen als je niet luistert.'

Ko keek me aan en ik zag dat de boodschap was overgekomen.

Ik sloop van boom naar boom. Ko dribbelde achter me aan.

Met wie was die Antoine in gesprek? Op mijn horloge zag ik dat het halfelf was.

Ik stond inmiddels zo dicht bij Antoine dat ik hem kon horen praten. Helaas kon ik degene met wie hij sprak niet zien. 'Blijf vooral uit het zicht,' hoorde ik hem zeggen. 'Ik begrijp dat je er ook wel eens uit wilt, maar dat kan nog niet. Het duurt niet lang meer'.

Ik voelde mijn hart bonzen. Meteen kwamen de volgende vragen bij me op:

1. Met wie sprak Antoine?
2. Waarom moet die persoon uit het zicht blijven?
3. Wat heeft hij te zoeken bij het huis van jonkheer Gieter?
4. Heeft dit allemaal iets te maken met de uitbraak?
5. Zou het huis van jonkheer Gieter iets of iemand verbergen?

Ik kon niet wachten om dit met Teuntje en Bas te bespreken. De zaak kwam in een stroomversnelling. Op het platteland kunnen de ontwikkelingen soms heel snel gaan.

Na een bezoek aan Kneppelhout zouden we naar het huis

van jonkheer Gieter kunnen gaan. Er was sprake van een mysterie, maar wat voor een wist ik nog niet. Er kwam wel steeds meer duidelijkheid, zoals de stukjes van een puzzel die in elkaar beginnen te passen.

Maar eerst waren er nog wel een heleboel losse eindjes.

Ik hoorde een motor starten en zag daarna de witte auto wegrijden. Gelukkig stond ik achter een dikke boom. Ik wachtte even om er zeker van te zijn dat niemand mij zou zien en toen liep ik snel naar huis.

In de keuken zat mijn oma al klaar. Mijn moeder leek verbaasd te zijn dat ik zomaar had aangeboden om de hele dag met oma te gaan rijden. Mijn vader had zich achter een krant verstopt. De smiecht: ik was er ingestonken. Die tien euro was voor de hele dag.

'Heb je wat geld?' vroeg ik brutaal aan mijn vader. 'Dan kan ik met oma wat drinken.'

Oma kneep mij in de wangen. 'Ja gezellig,' riep ze.

Mijn vader pakte met een zuur gezicht zijn portemonnee.

Dat krijg je ervan ouwe, dacht ik. Met een detective valt niet te spotten.

'Tien euro heb ik zeker wel nodig,' zei ik lachend.

'Lief van je,' zei mijn moeder.

Mijn vader keek nog zuurder.

Ik had een tevreden gevoel. Aan mijn oma viel geld te verdienen.

Caro vloog voorbij.

'Misschien heeft Caro ook zin om mee te gaan,' zei mijn moeder.

'Waar naartoe, met wie?' vroeg Caro in paniek. 'Ik heb al een afspraak, een andere keer graag.'

'Oma, hebt u het gehoord?' zei ik toen hard in haar oor. 'Caro gaat morgen met u naar het museum in de stad, de hele dag. Hebt u dat goed gehoord?'

Caro keek mij woedend aan.

'We dragen allemaal ons kleine steentje bij,' zei ik toen lachend.

'Kom oma, dan gaan we lekker een rondje in het dorp rijden.'

Ik duwde oma met de stoel het huis uit en liep met haar naar Het Gouden Hoofd. Onderweg fietste Caro ons voorbij.

'Jou krijg ik nog wel,' riep ze boos.

'Wat zei ze?' vroeg mijn oma.

'Ze zei dat ze zich heel erg op morgen verheugt en dat ze daarna ook nog met u gaat eten.'

'Wat een heerlijke kleinkinderen heb ik toch,' mompelde mijn oma.

Bij het hek stonden Teuntje en Bas te wachten.

'Hoi opoe,' riep Bas.

Ik verschoot van kleur, want ik wist niet zeker of mijn oma wel opoe genoemd wilde worden.

'Dag knulletje,' antwoordde mijn oma.

Bas keek boos, blijkbaar was hij op dit punt net zo gevoelig als ik.

'Gaan we ijs eten?' vroeg mijn oma.

'Eerst een wandeling maken, oma,' antwoordde ik. Ik wilde nu toch echt het terrein van Kneppelhout verkennen.

Teuntje pakte de handgrepen van de stoel.

'Ben jij het vriendinnetje van Kees?' vroeg mijn oma.

'Ja,' antwoordde Teuntje.

Ik kreeg een brok in mijn keel. Ik weet, het zat in de lucht, maar de liefde kan je zo plotseling treffen. Het vaste-verkeringseizoen was weer aangebroken.

Teuntje gaf mij een knipoog. Bas gaf mij een duw.

'Het zal mij benieuwen hoe lang het deze keer gaat duren,' zei hij.

Ik slikte: Bas had gelijk. Met Teuntje is het als een knipperlicht.

Ondertussen waren we bij het terrein van Kneppelhout aangekomen.

Ik zag een herdershond lopen, die begon te blaffen. Nou moet ik zeggen dat ik niet zo gek ben op herdershonden. Zeker niet als ze tot waakhond zijn opgeleid.

We stonden voor het hek.

'Ga jij eerst?' vroeg Bas.

'Hoezo?'

'Ik heb slechte ervaringen met dat beest.'

Gelukkig, dacht ik bij mezelf, Bas heeft ook zijn zwakke kant.

'Ik wil ijs,' riep oma.

'Ssst oma,' zei ik. 'We gaan zo ijs eten.'

Dit konden we er echt niet bij gebruiken. Met haar geroep vestigde oma alle aandacht op ons.

De hond werd intussen rustiger. Dat kwam omdat Teuntje en oma hem onder zijn kin aan het kroelen waren.

Bas en ik keken elkaar een beetje schuldig aan. Het was toch

wel vervelend dat uitgerekend wij bang waren voor zo'n herdershond. Het was wel een heel grote herdershond, moet ik
erbij zeggen.

'Als jullie met de hond bezig zijn, kunnen wij even een
rondje lopen,' stelde ik voor. Bas keek me dankbaar aan.

'Niks daarvan,' zei oma, 'ik wil ook mee.'

Ik weet uit ervaring dat het geen zin heeft om oma tegen te
spreken.

Tussen de betonmolens en de hoogwerkers door duwden
we oma het terrein op. Opeens hoorde ik de stem van Caro.
Wat deed zij hier?

Ik duwde oma voor me uit een grote, lege paardentrailer in
waar wel tien paarden in passen, en parkeerde haar helemaal
achterin. Caro mocht absoluut niet weten dat we hier op onderzoek waren.

Kom, wenkte ik Bas en Teuntje. We slopen naar voren.

We stonden achter een houten schot en toen zag ik Caro
met Mathieu.

Getverderrie, ze zou toch niet weer vaste verkering krijgen
met die slijmerd? Maar toen ik hen de mond-op-mondbe-
ademing zag doen die ik op school bij EHBO had geoefend,
wist ik dat deze ellendeling zijn best deed om mijn zwager te
worden.

'Dus jij denkt dat je vader het wel goed vindt?' hoorde ik
mijn zus zeggen.

'Hij merkt er niks van,' antwoordde de slijmerd. Hij liet een
sleutelhanger met sleutels zien.

Teuntje en ik keken elkaar aan.

Van mijn oma hoorden we niets. Waarschijnlijk at ze de gevulde koek, die Bas haar heel slim had gegeven. Bovendien kwam het goed uit dat oma stokdoof was.

Wat zouden ze met die sleutel moeten?

'Wacht maar, dan haal ik hem even op,' zei Mathieu.

Ik begreep er nu helemaal niks meer van.

Maar even later werd me alles duidelijk. Mathieu kwam met de sportwagen van zijn vader aangereden. Hij stapte uit en hield het portier voor mijn zus open.

Krijg nou wat, wilde ik uitroepen toen ik mijn zus, die net als die slijmerd echt nog geen achttien is, achter het stuur zag kruipen. Caro begon zich nu ook op het criminele pad te begeven. Joyriding – wie had dat nou gedacht.

Wat een geluk dat het detectivebureau ter plaatse was en dat Teuntje haar mobiel met camera bij zich had.

Teuntje maakte een paar foto's. Wie wat bewaart, die heeft wat. Ik wist zeker dat we deze foto's ooit zouden kunnen gebruiken. Bovendien zouden we mijn zus als agente kunnen inzetten om te achterhalen of de firma Kneppelhout iets te maken had met de uitbraak van de eeuw van gruwelijke Lenie.

Ik zag dat mijn zus moeite had de auto te starten. Maar toen reed ze hortend en stotend met de sportwagen weg.

Toen het geluid van de auto niet meer te horen was, slopen we de paardentrailer uit. We waren halverwege het terrein om met het echte onderzoek te beginnen, toen ik opeens merkte dat ik wat miste. En toen ik een vrachtauto hoorde starten, wist ik wat het was.

We hadden oma in de paardentrailer achtergelaten en die zagen we nu het terrein afrijden.

Zwaar in de problemen

Ik zat in de dikke, vette shit. Het was inmiddels donderdag en ik had nog altijd huisarrest.

'Je hebt de verkeerde voor je,' riep ik tegen mijn vader. 'Lenie hoort in de bak, niet ik.'

Wat was er gebeurd na ons bezoek aan het terrein van Kneppelhout?

Toen we de paardentrailer weg zagen rijden, wist ik dat er hele erge problemen zaten aan te komen.

We waren oma Klappertand vergeten, omdat we zo opgeslokt waren door het detectivewerk. Dat was de logische verklaring.

Maar ga dat maar thuis uitleggen. Ik bedoel, dat is toch even een heel andere onderneming.

Ik moet zeggen dat we met stomheid geslagen waren.

'Wat kunnen we doen?' doorbrak Bas de stilte.

Teuntje en hij keken mij vragend aan.

'Z-zeggen jullie het maar,' antwoordde ik stotterend.

'Het is jouw oma,' zei Bas.

Teuntje knikte. Van je vrienden moet je het maar hebben.

Ik wist het even helemaal niet en dat is heel vreemd voor iemand die de baas is van een goedlopend detectivebureau.

Ik keek peinzend naar de grond. Toen kwam een witte auto het terrein op rijden.

Nou is het maar goed dat zelfs onder de zwaarste omstandigheden mijn hersenen heel snel werken. Ik duwde mijn twee vrienden tegen de wand van een bouwkeet. Ik legde mijn vinger op mijn lippen. Oma moest maar even wachten. De man die uit de auto stapte was Antoine. Had je iemand anders verwacht? Ik wist dat aannemingsbedrijf Kneppelhout een rol speelde in het ontsnappingsdrama. Een goede detective vertrouwt op zijn gevoel.

Antoine liep onze richting op. Ik zag dat Bas en Teuntje ook hun adem inhielden.

Toen ging de deur van de bouwkeet open.

'Je moet hier niet overdag komen,' klonk een stem die ik vaag herkende.

'Wanneer dan wel?' vroeg Antoine. 'Wie zou mij nou kunnen volgen?'

'Wat dacht je van die vervelende bleekscheet, die overal zijn eigenwijze neus in steekt.'

Ik voelde een steek in mijn maag. Er was behalve Lenie maar één iemand die mij op deze manier beschreef. Ik wist wie het was. Het was Martin, de geliefde van gruwelijke Lenie. Kennelijk was hij al op vrije voeten.

'Die zag ik vandaag met zijn oma lopen, daar hebben we dus geen last van,' zei Antoine. Daarna gingen ze samen de bouwkeet in.

Ik voelde me tevreden. Oma was dus wel een goede dekmantel. Alleen was ze nu even onderweg.

Wat een geluk dat we hier stonden. Het leek wel alsof het detectivebureau als een magneet aanwijzingen aantrok.

Ik begon in mijn hoofd een lijstje te maken:

1. Lenie en Antoine hebben iets met elkaar te maken.
2. Martin houdt zich verborgen op het terrein van Kneppelhout.
3. Ook op het landgoed van jonkheer Gieter zijn verdachte zaken aan de gang.
4. Martin móét iets te maken hebben met de ontsnapping van Lenie.

Ik had ook een paar vragen:

1. Wat is Lenie van plan?
2. Wat is de rol van Kneppelhout?
3. Wat hebben Martin en Antoine te bespreken?
4. Wat doen we met oma?

Ik schrok wakker uit mijn gedachten. Antoine kwam naar buiten, stapte in zijn auto en reed weg. Bas stootte me zachtjes aan. 'Wat gaan we nu doen aan die oma van je?'

Ik moest slikken. Wat viel er te doen? De paardentrailer was weggereden. Misschien konden we het best eerst maar uitzoeken waar de paardentrailer naartoe was.

'Kom,' zei ik zachtjes, 'laten we naar de uitgang gaan.'

Ik wilde niet mijn zus tegenkomen en ik wilde uit de buurt van de crimineel in de bouwkeet blijven.

Toen we bij het hek waren, kwam mijn zus met Mathieu aanlopen.

'Wat doe jij hier?' vroeg ze nijdig.

'Vroem, vroem,' hoorde ik Bas zeggen.

Mijn zus verschoot van kleur. Toen wist ik dat mijn zus alles zou doen wat ik wilde.

Teuntje liet met een lachje de foto's op haar mobieltje zien.

'Ze staan al in mijn inbox,' zei ze, om even duidelijk te maken dat verwijderen zinloos was.

Caro en Mathieu waren inmiddels paars aangelopen.

Ik nam het initiatief. 'We waren met oma een blokje om en toen wilde ze per se de paardentrailer vanbinnen bekijken.'

'Ja,' riep Bas, 'volgens mij is jouw oma gek op paarden, anders wil je dat soort dingen niet.'

Caro keek me ongelovig aan,

'Wat moeten wij met jouw oma en jouw paardentrailer,' riep de slijmerd boos.

Teuntje ging voor hem staan. 'Het is Kees zijn oma en het is jouw paardentrailer. Bovendien is jouw paardentrailer er met de oma van Kees vandoor. Dus jij hebt een probleem en jij moet het dan ook oplossen.'

Ik was trots op Teuntje. Alle sterke punten van de stad en het platteland kwamen samen in het detectivebureau.

Mathieu leek het niet te snappen.

'Ja, en?' was zijn enige antwoord.

'Nou,' antwoordde ik, 'mijn oma is in jouw paardentrailer ergens naartoe waarvan wij niet weten waar dat is.'

Heerlijk dat ons probleem nu het probleem van Mathieu was geworden.

Mathieu leek te twijfelen.

'Vroem, vroem,' deed Bas.

Toen begreep Mathieu eindelijk dat hij moest nadenken over een oplossing.

'Ze zijn op weg naar de paardenkeuringsdagen in Knokke in België.'

Arme oma, dacht ik, op die leeftijd ter keuring naar Knokke worden gereden.

'In Deurne in Brabant worden de paarden opgehaald,' vertelde hij.

'Ga jij ze waarschuwen?' zei Caro.

'En jij dan?' vroeg Mathieu.

'Ik heb er helemaal niks mee te maken. Dat jullie paardentrailers open laten staan, is jullie probleem. In ieder geval niet het mijne.'

Zo kende ik mijn zus weer. Als het tegenzit, laat ze je vallen waar je bij staat.

Mathieu leek het nu helemaal niet meer te weten.

Caro stond bij haar fiets.

'Wat nu?' vroeg Mathieu.

Caro deed alsof ze aan het bellen was. 'Je ziet maar. Één ding: val mij er niet mee lastig want ik heb nog wel wat meer te doen. En wat mij betreft is de verkering ook weer over, want ik hou meer van jongens die weten wat ze moeten doen.'

Arme Mathieu. Ik had eigenlijk wel met hem te doen. Mijn zus Caro is een monster als het om de liefde gaat.

Toen Caro wegfietste en wij om Mathieu heen stonden, hoorden we een auto achter ons toeteren.

Daar stonden oom Henk de Neus en tante Annemarie de Danseres Zonder Naam.

'We komen oma even opzoeken,' riep mijn tante. 'We moesten hier toch in de buurt zijn.'

'Oma is even een ommetje aan het maken,' antwoordde ik. 'Maar ze is zo weer terug. Hè, Mathieu?'

Oom Henk keek mij doordringend aan.

Zou hij iets vermoeden? Hij is tenslotte verzekeringsinspecteur en die denken altijd dat mensen de boel besodemieteren.

Ze zwaaiden en reden weg.

Ik draaide me om naar Mathieu.

'Je zal iets moeten doen; mijn oom is iets heel hoogs bij de verzekeringen en hij heeft altijd pakken met schadeformulieren bij zich.'

Mathieu trok nu helemaal wit weg.

Hij draaide zich om. 'Als dit voorbij is, wil ik jullie nooit meer zien.'

'Hoeft ook niet, mag wel,' zei Teuntje zachtjes.

Na een kwartier kwam Mathieu terug. Hij had zijn vader bij zich. Het begon iets anders te lopen dan ik had gewild.

De oude Kneppelhout stond met zijn armen over elkaar.

'Wie heeft jullie toestemming gegeven het terrein op te komen?'

Bas en Teuntje stonden achter mij.

'Ik heb al met jullie ouders gebeld, dus ik zou maar heel snel naar huis gaan. Jouw oma is onderweg naar Knokke en de kosten van haar reis terug mag je vader betalen,' zei hij, terwijl hij naar mij wees. 'Gelukkig dat mijn zoon zo eerlijk is om zijn fouten toe te geven. Die zus van jou is nog erger dan jij. Gelukkig dat het uit is, want ze zou hem nog op het verkeerde pad brengen.'

Ik keek ademloos naar die slijmerd; hij was nog laffer dan ik had gedacht.

'En nu allemaal opzouten, laat ik jullie hier niet nog een keer zien.'

Wat deed die Kneppelhout toch onvriendelijk, dacht ik bij mezelf.

Nou heb ik geleerd om onder alle omstandigheden vriendelijk te blijven. 'We wensen u veel succes met het politieonderzoek,' zei ik.

Ik zag hem schrikken. Ik wist dat hij niet zat te wachten op een onderzoek.

'Wat weet jij daarvan? Wie heeft jou dat verteld?'

'O, niemand. Maar ik hoorde dat ze een kijkje komen nemen. Misschien dat degenen die Lenie hielpen ontsnappen, zich hier verborgen hebben gehouden. Heel vervelend voor u dat ze uw wagen daarvoor hebben gebruikt.'

De oude Kneppelhout verslikte zich en begon nu hard te hoesten. De slijmerd klopte op zijn rug.

'Kijkt u een beetje uit?' riep Teuntje vriendelijk.

We liepen snel het terrein af. Er liep daar tenslotte ook nog een waakse herdershond rond. Thuis zou mij iets te wachten staan. Wat precies? Ik wist het niet helemaal zeker. Dat maakt het beroep van detective juist zo spannend. Ik wist wel dat niet iedereen blij zou zijn met de verdwijning van oma.

Bij het zandpad nam ik afscheid van Bas en Teuntje.

'Kop op, maestro,' zei Bas en hij sloeg me op mijn schouder.

Teuntje kneep in mijn hand. Ik kreeg het warm en koud tegelijk. Dat kwam door de liefdeskoorts waardoor ik voor de zoveelste keer was aangestoken. Daar word ik nogal snel mee besmet.

Toen ik de deur van onze boerderij opendeed, voelde ik een ijskoude luchtstroom mijn kant op komen. Als detective voel je onmiddellijk een verandering in stemming. Je hebt daar als het ware een antenne voor.

De Danseres, de Neus, oom Cneut, mijn vader en mijn moeder stonden mij in de keuken op te wachten.

Mijn vader schraapte zijn keel. 'We kregen zojuist een telefoontje uit Deurne. De paardentrailer is al onderweg naar Knokke en de chauffeur kunnen ze niet bereiken. Misschien dat jij kunt uitleggen wat er aan de hand is?'

Ik stond met mijn mond vol tanden en dat gebeurt me als ervaren detective niet heel vaak.

De Danseres kon haar mond niet meer dichthouden en maakte mij voor de vreselijkste zaken uit. Ik zag mijn zus

Caro instemmend knikken. Jij komt nog aan de beurt, dacht ik. Het kan lang duren, het kan kort duren, maar die foto's van jou in de auto van de oude Kneppelhout zullen zeker nog van pas komen.

De Neus begon ook nog over blijvende schade en oom Cneut zei dat hij heel erg teleurgesteld was in mij.

Volwassenen kunnen soms zo onredelijk zijn. Mijn vader wachtte niet eens af wat ik te zeggen had. Ik kon wat hem betreft meteen naar boven vertrekken. Mijn mobiel moest ik inleveren, internet was verboden terrein en zakgeld zou de komende tijd worden ingehouden.

Klaar ben je, dacht ik toen ik op mijn kamer uit het raam tuurde.

Je probeert als detective iedereen de helpende hand te bieden en wat krijg je? Precies: stank voor dank.

Het leven valt niet mee

Ons huis was veranderd in een strafkamp. Voor mij geen mobiele telefoon meer en de computer was verboden terrein. Teuntje en Bas hadden er ook van langs gekregen, hoorde ik op school. Maar daar was het voor hen dan ook bij gebleven.

Naar school gaan was bijna een uitje geworden. Zelfs Ko leek me kwalijk te nemen dat oma Klappertand voortijdig was vertrokken. Wat jammer dat zijn geheugen zo slecht werkt. Was hij soms vergeten dat de Neus en de Danseres hem vals hadden beschuldigd van het vernielen van hun caravan? Of ging de liefde bij hem alleen maar door zijn maag en lag het aan alle koekjes en stukjes worst die mijn oma hem onder tafel voerde? Het is teleurstellend hoe je vrienden je onder zware omstandigheden in de steek kunnen laten.

Maar ik heb het al vaker gezegd: als het erop aan komt, staat elke detective er alleen voor.

Oma Klappertand kon mijn naam niet meer uitspreken

zonder te spugen. Volgens mijn moeder was het mijn schuld dat oma niet meer bij ons wilde komen.

Waren we maar gewoon in de stad gebleven. In ons gezellige huis waar de tram vijf keer per uur langskwam. Waar mijn goede maten mij elke dag ophaalden om te skaten, al hadden ze mij sinds de verhuizing nooit meer gemaild en ge-sms't.

Ik was nog geen schim van de Kees die ik ooit was. Er leek niemand te zijn die iets om mij gaf. Nou ja, eentje dan: mijn lieve vriendin Teuntje. We hadden nu alweer sinds zaterdag onafgebroken verkering en dat is heel lang. Maar misschien kwam het ook omdat we elkaar niet zo veel zagen op dit moment.

Het was donderdag en zo zat ik op de rand van mijn bed te denken. Waarover? Over de toekomst van het detectivebureau natuurlijk. Er gebeurden allemaal raadselachtige dingen en ik moest werkeloos toezien. Als detective maakte ik mij daar grote zorgen over. Want het was zo zeker als wat dat met de uitbraak van Lenie binnenkort van alles stond te gebeuren. Lenie is als een dominosteen. Een duwtje van haar zet het hele criminele circus in beweging.

Terwijl ik op mijn bed zat, hoorde ik een steentje tegen mijn ruit. Ik keek naar buiten. Onder mijn raam stonden Teuntje en Bas. Ze wenkten dat ik naar buiten moest komen. Maar hoe? Mijn vader zat als een waakhond in de woonkamer.

Ik deed het raam open. Toen zag ik dat ze met alles rekening hadden gehouden.

Bas en Teuntje zetten een ladder tegen de muur onder mijn raam. Ik klom voorzichtig naar buiten. Ik wilde vooral niet laten zien dat ik hoogtevrees had. Laat ik het zo zeggen: ik ben goed in zaken geheimhouden. Een detective moet zelf een geheim zijn.

Even later stond ik naast hen op de grond. Teuntje wees naar ons hoofdkwartier en we renden ernaartoe. Juist op dat moment werd Ko wakker en besloot te gaan blaffen.

Dat Ko net op dit moment voor waakhond wilde spelen, kwam echt niet zo gelegen, hoor.

'Ssst Ko,' fluisterde ik. 'Als je stil blijft, krijg je een lekker plakje worst.'

Bas duwde mij de schuur in. Net op tijd kan ik wel zeggen, want mijn vader, de gevangenisbewaker, kwam naar buiten. Ik kon horen dat Teuntje naar mij vroeg.

'Die heeft tot en met zaterdag huisarrest,' hoorde ik hem zeggen.

'Maar hoe moet dat nou met de kinderopera? Bas en hij moeten voor paard spelen,' zei Teuntje.

Kinderopera, gruwde ik bij mezelf. Die kinderopera was als een mug midden in de nacht: je kunt slaan wat je wilt, maar hij blijft terugkomen.

Wat waren ze van plan? Wat wilden ze met die kinderopera?

'Kinderopera?' hoorde ik mijn vader vragen. 'Hoe komt het dat ik daar niks van weet?'

'Misschien was het een verrassing, meneer,' klonk de stem van Bas. 'Echt, Kees is het beste toneelpaard dat ik ooit heb gezien.'

'Ik zal hem even roepen,' zei mijn vader toen.

Seconden tikten voorbij, nu moest ik in actie komen. Ik

ging via de achterdeur van de schuur naar de keukendeur, liep het huis in en kwam er daarna aan de voorkant weer uit.

'Wat doen jullie hier?' vroeg ik zogenaamd verrast. Ach, je bent een toneelspeler of je bent het niet.

Mijn vader draaide zich naar mij toe.

'Je vrienden komen mij vragen of ik het goed vind dat je meedoet aan de kinderopera. Eigenlijk heb je het helemaal niet verdiend aan zoiets leuks mee te doen.'

Wat je leuk noemt, dacht ik bij mezelf. Er zijn echt wel andere leuke dingen op te noemen. Ga zelf in dat kriebelpak zitten als kont van het paard.

'Vooruit dan,' zei mijn vader. 'Vanaf morgenavond is je huisarrest voorbij.'

'Een klein puntje, meneer,' zei Bas. 'We willen vanavond nog even onze rol doornemen om de puntjes op de i te zetten.'

Ik zag mijn vader twijfelen. Bas groeide steeds meer in zijn rol, dat kon ik merken. Ik was blij dat mijn stadse ervaring zo'n invloed had.

Mijn vader keek mij diep in de ogen. 'Ik wil niet dat je vrienden lijden onder jouw streken. Je kunt met hen mee, maar ik blijf je heel scherp in de gaten houden.'

Was mijn moeder maar hier, dacht ik. Dan kon ze het tenminste een beetje voor me opnemen. Maar die zat nu met Caro bij oma en oom Eef en Cneut.

'Fijn dat u morgen komt kijken, meneer,' hoorde ik Teuntje zeggen.

Ook dat nog. Waren de problemen al niet groot genoeg? Ik had ons met de allergrootste moeite uit die kinderopera weten te krijgen. Nu probeerde zij ons daar weer aan mee te laten doen. Hoe stelde ze zich dat voor?

Ik zag het al helemaal voor me. Mijn vader in de zaal. Het stuk is afgelopen en de twee hoofdrolspelers klimmen uit het paard. Dan zou mijn vader zich toch even achter zijn oren krabben en vervolgens zou ik mijn mobieltje nooit meer terugzien.

Teuntje duwde mij voor zich uit het zandpad op. Ik wilde meteen over de afgrijselijke kinderopera beginnen, maar Bas hield zijn hand voor mijn mond. Teuntje hield een kaart voor mijn ogen. Uitnodiging stond erop en Slechts voor genodigden.

Jonkheer en jonkvrouw van Bosch tot Groenesteijn hebben de eer u en uw partner uit te nodigen voor een bal masqué ter ere van hun 25-jarig huwelijksfeest. Op zaterdag 6 oktober aanstaande hopen we u om 20.00 te verwelkomen. Het thema is 'een avond in Venetië'.

R.S.V.P.

Venetiaans kostuum verplicht

Dieter en Alexia van Bosch tot Groenesteijn

Ik keek met grote ogen naar Bas en Teuntje. Een uitnodiging van jonkheer Dieter, in het dorp bekend als jonkheer Gieter omdat hij niet van de alcohol af kan blijven.

Heel veel vragen had ik en omdat ik ze allemaal tegelijk wilde stellen, begon ik te stotteren en kon ik geen woord uitbrengen. Toen moest ik ook nog hoesten.

Teuntje stelde me voor rustig in en uit te ademen. Ze zette het voor mij op een rijtje.

Die uitnodiging was niet voor ons, maar voor haar vader en zijn vriendin Gonnie Glim. Maar ze had hem per ongeluk opengemaakt en nu was-ie voor ons. Tijdens het feest konden we poolshoogte nemen om te zien of daar aanwijzingen waren voor misdrijven. Het paardenkostuum zouden we gebruiken voor het feest. Daarom moesten we naar de kinderopera: om het paardenkostuum mee te pikken.

Ik was intussen weer een beetje rustig geworden.

'Even een vraagje, misschien een punt waar jullie niet aan gedacht hebben. Wie gaat dat pak stelen? Hoe gaan we aan mijn vader duidelijk maken dat we morgen niet meedoen aan de kinderopera?'

'Dat is jouw taak,' vertelde Bas op rustige toon. 'Wij hebben het gekostumeerde feest geregeld en ervoor gezorgd dat je door je vader bent vrijgelaten. Jij mag ook wel iets doen. We hoeven niet alles te regelen.'

Ik stond naar adem te happen. Ik was er door een samenzwering van twee plattelandsdetectives ingeluisd. Het platteland stond met 1-0 voor. Maar niet voor lang, besloot ik grimmig.

'Dan zullen we een plan moeten maken,' zei ik toen. Ze moesten niet denken dat ik niks meer had in te brengen. Dat zou een mooie zaak zijn, zeg. Dat de oprichter en directeur van het detectivebureau Kees & Ko zich door de twee andere deelnemers buitenspel zou laten zetten. No way.

Bas en Teuntje keken mij vragend aan. Een detective die onder grote druk staat is een detective die op zijn best is. Dan wordt duidelijk of je met een amateur of met een beroepsdetective te maken hebt.

We liepen een paar rondjes om de boerderij. Ik kon met de beste wil van de wereld geen plan bedenken. Maar dat ging de andere twee niets aan. Ik vertelde hun dat het plan dat ik in mijn hoofd had een avondje moest rijpen.

'Het komt allemaal goed,' zei ik.

'Tot morgen,' zei ik toen we afscheid namen bij de boerderij.

Teuntje kneep even in mijn hand. 'Je bent geweldig,' zei ze.

Dat weet ik toch, wilde ik zeggen. Gelukkig hield ik nog net op tijd mijn mond. Bas kan af en toe zo gevoelig reageren.

Intussen duurde de verkering tussen mij en Teuntje nog altijd voort. Als het om de liefde gaat, lijkt de tijd wel te vliegen.

De kinderopera (1)

De volgende morgen bij het ontbijt werd me nog duidelijker dat het plan van Teuntje en Bas niet zo heel goed in elkaar zat. Mijn moeder kondigde namelijk aan dat ze ook van plan was om te komen kijken, net als mijn zus Caro.

'Welk deel van het paard speel je eigenlijk?' vroeg Caro op een vals toontje.

'De achterkant, om precies te zijn. Niet dat jij daar iets van begrijpt, want jij bent zo'n stom paard dat je nog niet eens weet wat de voorkant of de achterkant is,' zei ik.

'Misschien kan ik wat foto's maken of een filmpje, dan kunnen we ruilen.'

Mijn zus keek tevreden. Toen wist ik dat we even gelijkstonden.

Mijn troef, de autofoto's, moest ik waarschijnlijk ter bescherming van mezelf inzetten, want het zag ernaar uit dat we weer mee moesten doen aan die stomme kinderopera en ik wilde in dat paardenpak nog niet dood op internet worden aangetroffen. Stel je voor dat ze me in de grote stad in een You Tube-filmpje zouden zien. Dan zou ik toch nooit meer terug kunnen keren.

Het is af en toe moeilijk te accepteren dat een ander slimmer is, of laat ik zeggen, slimmer probeert te zijn dan een superdetective.

Terwijl ik langzaam mijn brood kauwde en helemaal geen haast had om naar school en een paardenpak te gaan, viel mijn oog op een artikel in de krant. LIJMTERREUR stond er in grote letters.

Ik schrok even. Dit zou toch niet over mij en het geheime wapen van het detectivebureau gaan?

Gelukkig kon ik opgelucht ademhalen. Het ging niet om mij, maar om inbrekers die een man hadden vastgelijmd. Dat zou een detective nooit doen, die zou zijn Superattack nooit toepassen op dieren en mensen.

Toch was ik van het artikel geschrokken. Als criminelen nu ook al dit middel hadden ontdekt, wat zou dat dan betekenen voor ons bureau? Zouden we naar andere methoden moeten uitkijken? Ik keek naar het mobieltje van mijn zus. De verleiding was groot er een klein beetje lijm in te spuiten. Maar aan de andere kant was dit middel bij ons thuis algemeen bekend. De verdenking zou meteen op mij vallen. Toen mijn zus naar de wc ging, deed ik haar mobieltje uit en verstopte het achter de bestekbak in het dressoir.

Ik was tevreden. Een uitgekookte detective laat zich niet gauw uit het veld slaan. In ieder geval kon ik vanavond niet op de foto worden gezet.

Ik ging mijn tanden poetsen.

'Weet iemand waar mijn mobieltje is?' vroeg mijn zus beneden.

Ik hoorde dat ze met de vaste telefoon haar nummer draaide, maar dat gaf natuurlijk geen gehoor. Ach, wat is het toch heerlijk om slim te zijn.

'Je moet niet altijd alles laten slingeren,' zei mijn moeder tegen haar.

Ik moest lachen. Ja, dacht ik, dat krijg je daarvan.

Als detective moet je op kleine signalen letten. Zou het me nu mee gaan zitten? Ik had in ieder geval voorkomen dat ik vereeuwigd zou worden als paard in een halfgare kinderopera.

Ik ging fluitend naar school, het huisarrest zat erop. Nog maar een dag en de school zat er ook even op voor een weekje herfstvakantie.

Het zou wel een druk weekje worden, bedacht ik.

Er was een gekostumeerd bal en er was een filmopname en tussendoor moest ook nog de ontsnapping van Lenie worden uitgezocht en moest er een misdaad worden voorkomen.

Niet niks als je dat allemaal in een lijstje zet. Maar dat hoort nu eenmaal bij het leven van een succesvolle detective. Maar eerst moest die kinderopera nog even worden afgewerkt.

Teuntje en Bas stonden al op het schoolplein.

'Heb je een plan voor vanavond?'

Ik schudde mijn hoofd. 'Dat komt eraan.'

'Heb je nog niks bedacht?' vroeg Teuntje verbaasd. 'We kunnen toch iets met Superattack doen?'

'Nee,' antwoordde ik, 'de criminelen hebben nu ook al de kracht van de superlijm ontdekt. We moeten ons onderscheiden. Bovendien zijn de spiermassa en de slavendrijfster bekend met het product. Jullie weten toch dat ik hen ooit met lijm heb opgesloten?'

'We kunnen niet wachten tot je ons je plan vertelt, hè Teuntje?' zei Bas. Hij keek me argwanend aan. Zou hij weten dat ik nog geen plan had?

Ik zeg als detective altijd: het draait allemaal om vertrouwen.

De hoofdregel van elke detective is:

VERTROUW NIEMAND

Ik zou die regel willen uitbreiden: heb vertrouwen in jezelf, onder welke omstandigheden dan ook. En zelfvertrouwen kon ik op dit moment goed gebruiken, want ik had inderdaad geen plan achter de hand. Dus wat dat betreft was Bas terecht argwanend.

'Zullen we tussen de middag afspreken?' stelde ik Bas en Teuntje voor. 'Dan zal ik jullie precies laten weten wat het plan is.' Op die manier kreeg ik weer wat uitstel.

'Ik hoop dat je met iets goeds komt,' zei Bas nog. 'Anders zal ik alleen met Teuntje naar het gekostumeerde feest moeten gaan.'

Hij was dicht bij haar gaan staan.

Er ging een steek door mijn hart. Mijn vriend was van plan mijn vriendin af te pikken. Ik besloot niks te laten merken.

'Kan mij wat schelen,' zei ik nog en toen ging de bel.

Tijdens het rekenen landde er een papieren vliegtuigje op mijn tafel.

Beste K.

Als je er zo over denkt, kunnen we het maar beter meteen uitmaken.

T.

Ik schreef meteen een briefje terug. In blokletters, zodat het goed leesbaar was en er geen misverstand over zou kunnen bestaan.

LIEVE T.

ZULLEN WE GEWOON EVEN VRIENDEN BLIJ-VEN, IK HEB WAT TIJD VOOR MEZELF NODIG. MISSCHIEN ZIJN WE NOG NIET TOE AAN VASTE VERKERING.

K.

Ik vouwde er met precisie een vliegtuigje van en met gestrekte arm stuurde ik het de lucht in met de bedoeling dat het op de tafel van Teuntje zou landen. Helaas, het vliegtuigje maakte een schijnbeweging en ging toen een heel andere richting op. De landing zette in en vond plaats in de geopende tas van juf Drijver, die even de les van onze meester waarnam.

Hoe is het toch mogelijk, dacht ik bij mezelf. Maar ja, in de liefde loopt altijd alles anders. Teuntje had ook gevolgd wat er met het vliegtuigje gebeurde. Dat zag ik aan haar ogen.

Gelukkig dat we alleen maar met onze voorletters in de liefdesluchtpost stonden. Niemand zou doorhebben dat het om ons ging. Ik besloot aan het voorval geen aandacht te schenken.

Pats, er landde weer een vliegtuig op mijn tafel.

Ik maakte het open.

Lieve K.

Ik heb er spijt van, ik maak de verkering weer aan. Fijn, hè?

T.

Ik moest even zuchten.

Zo kroop de morgen langzaam voorbij en ik maakte me zorgen.

Ik had nog steeds geen plan en de tijd drong. Was het maar vast zaterdag, dan was dit allemaal achter de rug.

Opeens klonk er een hartverscheurende kreet. We keken allemaal op. Juf Drijver hield mijn vliegtuigje met het slechte nieuws, dat een noodlanding in haar tas had gemaakt, in haar hand. Op dat moment ging de deur open. De spiermassa stond in de deuropening.

'Jij,' gilde de slavendrijfster, 'zo vlak voor de opvoering, mij een beetje verlaten voor een ander. Wie is het?' Ze begon steeds harder te schreeuwen. 'Is het die Trees van de biebbus? Ze hebben me allemaal voor jou gewaarschuwd. Als je maar niet denkt dat ik nog aan die stomme kinderopera van jou meewerk. O, nee!'

De spiermassa keek haar angstig aan. 'Ik begrijp er niks van,' stotterde hij. 'Echt, ik heb niks met Trees van de biebbus.'

Op dat moment kwam meester Pieterse van groep vijf en zes binnen.

'Koos, er is telefoon voor jou, Trees van de biebbus.' Hij gaf de spiermassa een vette knipoog.

Nu was de slavendrijfster helemaal door het dolle heen.

'Is er iets, Thea?' vroeg meester Pieterse.

Thea en Koos, T. en K.

Hun namen begonnen met dezelfde letters als onze voornamen.

De slavendrijfster dacht dat het om haar ging.

Als detective moet je altijd van de gelegenheid gebruikmaken.

Ik wist nog niet precies hoe, maar soms is het beter om even te wachten.

'Ga jij maar met Trees in dat paardenpak. Ik doe niet meer

mee,' riep de slavendrijfster. 'Trouwens, ze is zelf net een paard, ze heeft dat pak niet eens nodig.'

De spiermassa liep rood aan. 'Jij je zin, je bent nog stommer dan een ezel!'

Wat kunnen grote mensen toch kinderachtig zijn, dacht ik bij mezelf. In al mijn verkeringen met Teuntje had ik haar nog nooit uitgescholden.

'Hoe moet dat nu met de kinderopera, vanavond is de galapremière,' vroeg meester Pieterse.

Ik liep naar voren. 'Meester Pieterse,' zei ik zachtjes. 'Ik vind het supervervelend dat de spierm... ik bedoel, de meester nu in de problemen zit. Bas en ik zijn voor deze ene keer bereid om voor paard te spelen. We willen meester Beusekom graag helpen.'

De spiermassa stond nu als een goudvis naar adem te happen.

Voordat hij antwoord kon geven, had meester Pieterse het al voor hem gedaan.

'Fijn dat er zulke behulpzame leerlingen zijn. De meester is vast blij dat jij en Bas hem willen helpen. Gelukkig dat de opera nu door kan gaan.'

De spiermassa beet op zijn nagels en keek me vals aan. 'Ik waarschuw je,' waren zijn woorden.

Ik keek hem zo onschuldig mogelijk aan. 'We willen u alleen maar helpen, echt waar.'

'Was dat het plan?' siste Teuntje.

Ik knikte.

'Hoe wist je dat er huwelijksproblemen waren?' vroeg Bas.

'Door grondig onderzoek,' antwoordde ik.

De slavendrijfster schoot lang ons heen. Ze had al die tijd in een hoekje staan sniffen. 'Ik ga naar huis,' riep ze huilend. 'Alleen.'

Ik huilde vanbinnen met haar mee; een detective heeft ook een hart. Misschien dat we na afloop iets voor haar konden doen. Kees & Ko huwelijksbureau, dacht ik bij mezelf.

Ik voelde me al met al een tevreden mens.

Het paardenpak lag binnen mijn bereik en we konden naar het feest van de jonkheer. Weldra zouden we iets meer te weten komen over gruwelijke Lenie. Maar eerst moesten we nog even meespelen in die kinderopera.

'Wie gaat er eigenlijk op onze ruggen staan?' vroeg Bas aan de spiermassa.

'Trees van de biebbus,' antwoordde de spiermassa met een valse lach.

De kinderopera (2)

De rest van de middag kregen we vrij om te oefenen voor onze rol in de opera.

We moesten doen alsof we stom waren. Doen alsof we nog moesten leren tellen en kunstjes uithalen. En dan zouden we op het eind een nieuwe staart krijgen.

'Hoera,' zou iedereen dan zingen, 'het paard heeft weer een staart.'

Iedereen moet wel eens iets doen wat hij of zij niet zo ziet zitten. Maar dit was toch wel heel erg. Ik wilde dat er een tijdmachine bestond waardoor ik dit zou kunnen overslaan.

We oefenden heel de middag. Aan het einde van de dag moesten we ook nog oefenen met Lees-Trees op onze rug.

Bas en ik waren blij dat we in de pauze even naar Het Smulei konden om een zakje chips te eten met een colaatje erbij. Daar zag ik de witte auto van Antoine staan. Even verderop stond hij bij een boom te bellen.

Wat is het beroep van detective toch heerlijk. Geen dag is hetzelfde en altijd komt de spanning op de meest onverwachte momenten achter een boom vandaan.

'Toeval bestaat niet,' fluisterde Bas.

Ik sloeg hem op zijn schouder. Het had even geduurd, maar Bas raakte steeds meer ingewerkt.

We slopen van boom naar boom, totdat we zo dichtbij waren dat we het gesprek konden afluisteren. Achter een dikke kastanjeboom bleven we staan.

'Dus jij gaat morgen die kostuums ophalen bij Terpstra feestartikelen,' hoorde ik Antoine zeggen. 'Je zorgt er toch wel voor dat er ook een extra large bij is?'

De andere persoon maakte blijkbaar een grapje, want Antoine moest hard lachen. Uit het antwoord leidde ik af dat het om Lenie ging. 'Nee, ze hebben haar daar bepaald niet op rantsoen gezet.'

'Goed,' zei Antoine weer, 'morgen gaat het gebeuren en na de filmopname schijnt voortaan altijd de zon.'

Antoine liep weg en even later zag ik de witte auto wegrijden.

'Goed, hè,' zei Bas, 'dat Teun en ik met die uitnodiging kwamen.'

Ik knikte. 'Morgen gaan we naar de feestwinkel,' antwoordde ik.

'Hoezo?' vroeg Bas.

'Omdat we moeten weten welke pakken zijn verhuurd, dan weten we ook wat de criminelen dragen.'

Ik voelde me tevreden: gelukkig kon ik nog steeds snel denken.

'Jij je zin,' zei Bas duidelijk met tegenzin.

Ik besteedde er verder geen aandacht aan en liet me de chips met cola goed smaken.

Het was zeven uur 's avonds, de aula zat al helemaal vol.

Het doek zou zo meteen opgaan, maar waar waren de spiermassa en Lees-Trees? Meester Pieterse keek op zijn horloge.

'We wachten nog vijf minuten.'

Ik keek door een spleet tussen de gordijnen en zag juf Drijver op de voorste rij zitten. Door mijn scherpe ogen – wat voor een detective superhandig is – zag ik nog net hoe ze tevreden over een tubetje streek. Dat tubetje herkende ik uit duizenden: Superattack secondelijm, plakt alles vast in tien seconden. Toen wist ik dat Lees-Trees en de spiermassa de opvoering niet zouden bijwonen. Een rilling liep over mijn rug: iedereen zou denken dat ik het had gedaan. Hoe moest dat nu als zelfs gewone burgers en criminelen gebruik gingen maken van Superattack als verdedigingsmiddel?

Meester Pieterse begon zenuwachtig te worden. Ik liep op hem af.

'Ik heb een idee: Teuntje kan de rol van mevrouw Trees overnemen.'

Meester Pieterse haalde opgelucht adem. Hij aaide me over mijn hoofd. 'Je bent een fijne jongen, ik begrijp niet waarom er altijd zo veel klachten over jou zijn.'

'Ik ook niet,' zei ik met grote onschuldige ogen.

85

Teuntje stond aan de zijkant te wachten. Even later stond ze bij ons.

We hoorden meester Pieterse aan de andere kant van het doek het woord voeren. 'Vanavond is de première van de prachtige opera, geschreven door het hoofd van onze school, de heer Koos Beusekom en de bibliothecaresse, mevrouw Trees Linderhorst.'

Ik kneep in mijn hand. Na vanavond zou ik daar niet meer zo trots op zijn, dacht ik bij mezelf.

'Mag ik uw aandacht voor de kinderopera "Het paard zonder staart".

Het doek ging open.

Ik zal maar niet alle ellende beschrijven die ik en Bas moesten doormaken. Een uur lang werden we toegezongen als stom paard zonder staart. Moesten we gaan zitten, hinniken, pootjes geven, kreeg ik tikken op mijn achterste.

Wat was ik blij toen we buiten stonden en ik het kostuum veilig opgeborgen had in een tas.

Mijn ouders en Caro stonden al buiten. Daar stond ook de biebbus. Er kwam een oorverdovend lawaai uit.

'Help,' hoorden we de spiermassa en Lees-Trees gillen. 'We zitten hier gevangen!'

Juf Drijver reed op haar fiets langzaam langs mij. 'Je deed het geweldig,' riep ze me toe. 'Nog een fijne avond.'

Mijn vader keek naar mij en toen weer naar de biebbus.

Hij pakte mij stevig bij de arm.

'Doorlopen,' fluisterde hij, 'heel hard doorlopen.'

'Ik heb niks gedaan,' riep ik nog.

'Kun je dat bewijzen?' vroeg mijn vader.

Teuntje en Bas waren in geen velden of wegen te bekennen. Als detective sta je er altijd alleen voor.

Veroordeeld zonder schuld

Het was zaterdagochtend en ik zat aan de keukentafel. Mijn vader zat recht tegenover mij. Voor hem lag een tubetje Superattack.

'Het heeft geen zin te ontkennen. Alles wijst erop dat jij dit hebt gedaan.'

Ik kon geen woord uitbrengen. Hoe moest ik nou bewijzen dat ik deze keer niks had gedaan?

Van de bieb waren ze al aan de deur geweest, om de schade te melden aan mijn vader. Ze hadden de deur moeten openbranden met een lasapparaat en ze hadden de spiermassa er met moeite van kunnen weerhouden om niet meteen naar onze boerderij te rennen. Hij bleef maar volhouden dat ik het had gedaan.

'Ik zou niks betalen,' zei ik tegen mijn vader. 'Ze gaan de biebbus opheffen.'

'Heeft iemand jou iets gevraagd?' was zijn antwoord.

Mijn moeder stond met haar armen over elkaar. Ze keek me zwijgend aan.

'Gelukkig dat je zus zich wel weet te gedragen,' vervolgde mijn vader.

Hij moest eens weten, dacht ik.

'Je moeder en ik hebben besloten dat het snowboardkamp in januari met Jurriaan voor jou niet doorgaat.'

Ik zat even helemaal stuk.

'Ik mag zeker vandaag niet met Teuntje en Bas naar de stad?'

'Je denkt toch niet dat we daar antwoord op geven?'

Buiten klonk ineens een sirene en even later nog een. Ergens midden in het dorp hield het op, leek het wel.

Toen ging onze telefoon. Mijn moeder nam op.

'Het is niet waar,' hoorde ik haar zeggen. 'Ongelooflijk. En dan te denken dat...'

Wat zou er aan de hand zijn?

Mijn moeder kwam terug.

'Onze Kees heeft niets met het dichtplakken te maken. Zojuist is Thea Drijver aangehouden. Ze had een shovel gestolen bij Kneppelhout. Ze konden haar er nog net op tijd van weerhouden de gevel van het huis van Koos Beusekom te rammen. Ze heeft ook het dichtplakken van de biebbus bekend. Het heeft iets met die vrouw van de biebbus te maken.'

Ik zat nog steeds aan de keukentafel, maar er kwam niks van excuses over de lippen van mijn vader.

'Ik krijg nu zeker wel mijn mobieltje terug,' vroeg ik nog.

'Je hebt nog steeds onvoorwaardelijk door wat je je oma hebt aangedaan,' bromde mijn vader.

'Nou, dan ga ik nu maar naar Teuntje en Bas.'

Mijn moeder stopte me nog gauw tien euro toe, alsof ik voor zo'n klein bedrag te koop ben. Een detective heeft ook zijn trots.

Eén ding hadden alle gebeurtenissen wel bewezen: ze kunnen over het platteland veel zeggen, maar niet dat het er saai is.

Ik stapte op de fiets om naar de boerderij van Teuntje te gaan. Ko wilde meelopen, maar daar was ik even helemaal klaar mee. Eerst me nauwelijks aankijken en zodra de baas op vrije voeten is, weer aandacht geven.

'Zo zijn we niet getrouwd, Ko,' sprak ik hem toe. Ik was op mijn hurken gaan zitten. 'Jij moet nog heel wat leren, Ko, je bent nog niet eens *op weg* om een speurhond te worden. Ik heb je mededirecteur van het detectivebureau gemaakt. En wat doe je ermee? Helemaal niks, Ko. De baas is heel verdrietig over jou, Ko. En waar de baas ook niet blij van wordt, is dat je hem van tijd tot tijd laat stikken. Daarom, Ko, ga jij heel goed nadenken over waar jij allemaal mee bezig bent. Anders moet je maar eens een weekje bij Martin gaan logeren, misschien dat je dan weet wie je vrienden zijn.'

Ko begon te piepen: ik denk dat de boodschap was overgekomen. Hij wilde me meteen in mijn gezicht likken. Nog steeds weet hij niet dat ik niet van dat natte tongengedoe hou.

'Het is goed, Ko,' zei ik. 'Als de baas vanmiddag terugkomt, beginnen we gewoon weer van voren af aan.'

Toen stapte ik op mijn fiets. Bij Het Smulei zag ik in de verte de auto van Antoine en een scooter staan. Ik dook met mijn fiets het bos in en zette hem tegen een boom. Wie weet, misschien kon ik nog iets te weten komen.

Voorzichtig sloop ik dichterbij. Ik hoorde dat hij met iemand praatte. Maar met wie? De andere persoon stond net achter Het Smulei.

'Je denkt toch wel dat ze haar bek houdt?' klonk de stem van Martin.

'Je hoeft je daar geen zorgen over te maken,' antwoordde Antoine.

Ik fronste mijn wenkbrauwen.

'Ze was juist zo'n onverdacht persoon, het kwam heel goed uit dat ze haar groot rijbewijs had. Maar dat ze nou net haar jaloezie niet kon bedwingen. Waarom moest ze nou juist vandaag met die shovel bij haar ex-geliefde naar binnen willen rijden?' ging Martin verder.

Asjemenou, de slavendrijfster had gruwelijke Lenie helpen ontsnappen! Wie had dat ooit gedacht? Het platteland kan mensen zo veranderen.

'Ze gaat me heus niet verraden, hoor,' zei Antoine.

'Laten we dat dan maar hopen,' zei Martin.

Ik hoorde dat Antoine zijn auto startte en wegreed.

Ik wachtte nog even tot de kust veilig was. Toen hoorde ik Martin weer bellen. 'Ja met mij. Ik heb net met die zenuwelijder gepraat. Misschien moeten we van hem af, wat denk je ervan? Heb je al iets bedacht?'

Na een korte stilte begon Martin te bulderen van het lachen. 'Wat ben je toch een heerlijk slechte vrouw, Lenie. Dus jij wou hem erbij lappen als wij met de buit ontsnappen. Dat had je zeker al die tijd al zo gepland. Ik zie je morgen. Ja, die sul is nu naar de feestwinkel.'

Ik had hem wel in elkaar willen slaan en Antoine willen waarschuwen. Lenie is als een besmettelijke ziekte: iedereen in haar buurt wordt door slechtigheid aangestoken.

Het telefoongesprek was nog niet afgelopen.

'Voor die bleekscheet verzinnen we nog wel iets, wees daar maar niet bang voor. Die weet echt helemaal van niks. Heus, dat kleine onderkruipertje zal je niet nog een keer voor schut zetten.'

Ik kookte van woede. Bleekscheet? Onderkruipertje? Wie dachten deze derderangs plattelandsmisdadigers wel dat ze tegenover zich hadden?

Ik voelde me nog meer geroepen deze criminelen te stoppen.

Ze zouden het nog wel leren. De wraakengelen van Kees & Ko detectivebureau stonden klaar om aan te vallen.

Er startte een scooter en ik zag Martin wegrijden.

Ik hijgde nog van ergernis en opwinding toen ik Teuntje en Bas even later van mijn afluisterpraktijken vertelde.

'En er is helemaal niks van waar,' riep ik boos.

'Van wat?' vroeg Bas. 'Dat je bleek bent en klein uitgevallen voor je leeftijd?'

Ik had willen zeggen dat zijn hersenen in ieder geval niet meegroeiden de laatste tijd, maar ik had een zaak op te lossen en kon elke hulp gebruiken die nodig was. Ik besloot daarom de verstandigste te zijn.

Even later zaten we op de fiets en reden naar de feestwinkel. Toen we daar kwamen, zag ik dat de fietsenhandel de allernieuwste regenmode buiten had hangen. Ik kon niet wachten om dit aan Caro te vertellen. Kosten nog moeite waren gespaard om de kleding weer lelijker te maken dan de vorige collectie. Ik zou er nog niet dood in willen worden aangetroffen.

Teuntje wees naar de feestartikelenwinkel. Binnenkort zouden we weten in welke kostuums de criminelen zich vanavond zouden hullen.

We liepen de winkel binnen.

'Nergens aanzitten,' zei een zuurpruim achter de kassa.

Ik haalde diep adem; dit was niet het soort mens met wie je echt kon lachen.

'Mag ik u iets vragen?' zei Teuntje. 'We gaan vanavond naar een gekostumeerd feest.'

'Alles is verhuurd,' zei de man. 'Ik heb niets meer, ik zou er zelf niet eens naartoe kunnen.'

Je zou als jezelf kunnen gaan, dacht ik bij mezelf. De werkelijkheid is soms nog erger dan de fantasie. De man zag eruit als het monster van Frankenstein. Niets meer aan doen, zou je zeggen als je hem moest adviseren.

Hoe moesten we er nu achter komen welke pakken vanavond door de criminelen zouden worden gedragen? De man zag er niet uit als iemand die graag informatie gaf.

Teuntje ging bij de toonbank staan en begon op haar allerliefste toontje tegen de man te praten.

'Weet u, mijn tante en oom gaan vanavond ook.' Ze beschreef Antoine. 'Nu is het zo dat er vanavond een wedstrijd is wie het best gekleed is. Het zou vervelend zijn als de prijs naar iemand zou gaan die de kleren niet bij u heeft gehuurd, toch? Heel toevallig zit mijn vader in de jury, dus het zou best wel handig zijn als hij weet wie welke pakken aanheeft. Dat maakt het aanwijzen van de winnaar wat gemakkelijker. Zo kunt u de concurrentie een stapje voor zijn. De firma Zwartjes, bedoel ik.'

Bij het horen van de naam Zwartjes begon de man achter de kassa te hijgen. 'Wacht,' zei hij. 'Geen sprake van dat die oplichters in de prijzen vallen. Wacht maar even.'

Even later kwam hij terug. 'Voor het feest van vanavond heb ik twintig sinterklaaspakken verhuurd, waarvan vier aan uw oom Antoine.'

'Wat is daar Venetiaans aan?' vroeg Bas verbaasd. 'Sinterklaas komt toch uit Spanje?'

Ik moest hem gelijk geven.

'Dat was het enige wat ik nog had. Ze doen allemaal een Venetiaans masker voor. Dan zien ze eruit als Venetiaanse bisschoppen,' legde de man uit.

Dit was van een logica waar zelfs ik niks tussen kon krijgen.

'Hartstikke bedankt voor uw hulp,' riep Teuntje.

'Wat is de prijs eigenlijk? Komt er een stukje in de krant en komt er dan in te staan dat de firma Zwartjes geen prijs heeft gewonnen?' riep de man ons nog na.

'Over de uitslag wordt niet gecorrespondeerd,' herhaalde ik de zin die onder aan het deelnameformulier van elke slagzinnenwedstrijd staat.

Toen liepen we snel de deur uit.

'Twintig Sinterklazen, hoe verzin je het bij elkaar,' zuchtte Bas.

'Nou ja, dan is er tenminste gezelschap voor het paard,' zei Teuntje lachend.

Ik was het paardenpak alweer vergeten. Ik moest rillen bij het idee dat we daar de hele avond in rond moesten lopen. Ook de gedachte dat we vier valse Sinterklazen moesten ontmaskeren maakte me een beetje somber. Hoe zouden we dat moeten aanpakken? Gelukkig hadden we al eerder bewezen dat het detectivebureau de moeilijkste opdrachten aankon.

Ik had een raar gevoel in mijn buik, maar niet alsof ik iets verkeerds had gegeten. Nee, het was meer een gevoel dat er iets stond te gebeuren. We hadden een zaak in onderzoek waarvan we niet wisten wat voor zaak het was. Daar moesten we vanavond meer over te weten komen. Het belangrijkste van alles was dat ik ongezien uit huis kon ontsnappen.

We namen bij het zandpad afscheid van elkaar. Om tien uur zouden we elkaar bij het tuinhuis van de jonkheer ontmoeten.

'Wat trek jij eigenlijk aan?' vroeg ik aan Teuntje.

'Dat is een verrassing.' Ze raakte zachtjes mijn hand aan.

Ik schrok me rot. Ze wilde toch niet hand in hand lopen? Zo'n verkering wilde ik (nog) niet.

'Tot straks,' riep ze vrolijk. Ik keek Bas en Teuntje na.

Het gekostumeerde feest

Ik lag met mijn kleren aan op bed. Gelukkig dat ik mijn kamer weer voor mezelf had, want anders had ik nog gezeten met het probleem Caro. Maar dat ze niet meer met mij de kamer deelde, betekende nog niet dat ik van Caro af was. Die zat namelijk al een halfuur onder aan de trap te bellen met een of andere Nicolaas die ze blijkbaar van school kende. Kennelijk had ze haar mobiel gevonden. Ik kon ondertussen geen kant uit, want mijn ouders profiteerden van het uitzonderlijke warme weer en zaten buiten onder mijn raam.

De tijd begon te dringen en ik had geen andere mogelijkheid dan te ontsnappen via het slaapkamerraam van mijn ouders aan de andere kant van de boerderij.

Het enige probleem was dat het daar een stuk hoger is en ik niet zo dol ben op grote hoogten. Maar er zat niets anders op en ik sloop met het paardenpak onder mijn arm naar de kamer van mijn ouders.

Ik deed het raam open. Eerst wierp ik het in een plastic tas gepropte pak naar beneden en daarna kroop ik voorzichtig achterstevoren uit het raam het schuine dak op. Ik hield me angstvallig vast aan de dakpannen. Een beetje detective moet tegenwoordig ook een stuntman zijn.

Dakpan voor dakpan kroop ik langzaam naar beneden, tot ik bij de dakgoot kwam. Even later hing ik met doodsangst aan die goot en hoefde ik nog maar een kleine sprong te maken. Tot ik opeens de kaken van Ko voelde. Ik liet me vallen, maar Ko liet niet los.

'Niet doen, stom beest,' riep ik zachtjes.

Maar Ko wist van geen ophouden.

'De baas heeft geen tijd voor spelletjes, Ko. Nu even niet. Denk aan wat ik heb gezegd over het hondenpension van Martin Gaus.'

Dat was gelukkig voldoende. Ik dook op mijn paardenpak, voordat Ko daar zijn tandjes in zou gaan zetten.

Ik sprintte naar het hek. Net op tijd, want ik hoorde mijn vader aan Ko vragen of hij boeven had gevangen. Mijn vader blijft een optimist. Dat is een eigenschap die ik van hem heb. Maar in het boeven vangen van Ko heb ik niet zo'n vertrouwen.

Even later stond ik bij het tuinhuis van de jonkheer. Ik leunde met mijn rug tegen de achterzijde, toen ik twee stemmen hoorde. Ik keek voorzichtig om de hoek en zag twee Sinterklazen.

'Je weet wat het wachtwoord is?' vroeg een van de nepklazen.

'Zie ginds komt de stoomboot,' antwoordde de ander.

Ik rilde een beetje. Dat kon komen van de kou, maar ook wel een beetje van de spanning. Deze zaak kwam dan wel heel langzaam op gang, maar er kwamen wel steeds nieuwe aanwijzingen bij.

Ik keek naar de lucht. De maan ging schuil achter grote donkere wolken.

Op mijn horloge was het nu precies tien uur. Ik had er de pest over in dat ik mijn mobieltje niet kon gebruiken. Als detective moet je roeien met de riemen die je hebt, maar met een mobieltje is het leven wel een stuk makkelijker.

'Hoi,' hoorde ik zachtjes achter mij de stem van Teuntje.

Ik keek om. Daar stonden Teuntje en Bas. Teuntje had een ridderkostuum aan met een masker van Zorro.

'Heb je het pak bij je?' vroeg Bas op bazige toon.

'Nee,' zei ik, 'dat heb ik op de keukentafel neergelegd. Misschien dat jij het even kunt ophalen.'

Bas had zijn handen tot vuisten gebald. Ik schrok er een beetje van. Ik weet dat Bas nogal makkelijk kan uithalen. Dat is echt wel heel erg plattelands.

'Zo georganiseerd ben je nou ook weer niet,' zei hij kribbig.

Ik stond met mijn bek vol tanden.

Teuntje knikte. 'Bas is heel georganiseerd; de een is in sommige dingen beter dan in andere.'

Wat moest ik daar nog op zeggen? Als je van jezelf weet dat je een kei bent in organiseren, maar anderen geloven dat niet, dan vraag je je af wat er met je *image* is gebeurd.

Ik begreep wel dat het niet het moment was om de anderen van mijn gelijk te overtuigen. We stonden op het punt naar een gekostumeerd feest te gaan met ten minste twintig nep-sinterklazen. Ik had heel veel zin om de verkering uit te maken. Want in vaste verkering draait het, net zoals bij een detectivebureau, allemaal om vertrouwen. Ik besloot niks te laten merken.

'Jullie zijn zeker niet benieuwd hoe ik achter het geheime wachtwoord van de criminelen ben gekomen,' zei ik losjes.

'Ondanks het feit dat ik niet zo georganiseerd blijk te zijn, heb ik dit door zuiver speurwerk weten te ontdekken.'

Ik pakte de twee stukken paard uit de plastic tas en gaf het achterstuk aan Bas.

'O ja?' vroeg Teuntje. 'Vertel, vertel.'

'Zie ginds komt de stoomboot,' zei ik rustig. 'Volgens mij is dat de code van de criminelen.'

'Knap van je,' lachte Bas. Hij gaf me het stuk paard terug.

'Zullen we even ruilen, ik ben de voorkant.'

'Hoezo?' vroeg ik.

'Daarom,' antwoordde Bas. 'Zo hebben we het ook in de kinderopera gedaan.'

'Maar daar zitten we nu niet meer in,' zei ik langzaam.

'Jij kent de weg in het kasteel niet en ik wel,' zei Bas.

'Bas heeft gelijk,' fluisterde Teuntje.

Als de criminelen straks achter slot en grendel zitten, ging ik het uitmaken, besloot ik. Als ze zo onder de indruk was van Bas, dan moest ze maar met hem verdergaan.

Ik stapte in het achterwerk van het paard en Teuntje maakte de twee helften aan elkaar vast.

'Hup, paard,' riep Teuntje. 'Vooruit met je luie reet.'

Door de bosjes en daarna via de oprijlaan liepen we achter haar naar het bordes.

Bij de deur stond iemand die wilde weten of we ook aan de verkiezing van het mooiste kostuum wilden meedoen.

'Nee,' riep ik, 'geen foto's.'

En dan zeker bij de prijsuitreiking met onze koppen in de krant komen, dacht ik. Echt niet.

We liepen door een lange gang. Ik kon alles redelijk zien, omdat ik twee kijkgaatjes in het pak had gemaakt met de sleutel van de keukendeur. Ik telde intussen al tien Sinterklazen, vier paashazen en drie kerstmannen. De feestwinkels hier in de streek zaten niet echt goed in de Venetiaanse kostuums. Voor zulke zaken kon je toch beter in de grote stad zijn.

Bas had intussen flesjes cola ontdekt en gaf er een naar achter door. Ik liet een lekkere colaboer.

Bij twee Sinterklazen hielden we even stil.

'Zie ginds komt de stoomboot,' zong ik zachtjes.

'Geef jij dat stomme paard eens een wortel,' zei een van de Sinterklazen lachend.

Deze twee hadden niks met Lenie te maken, dat was me wel duidelijk.

We bleven met Teuntje in een hoekje staan. Wat een stom feest was dit, er gebeurde helemaal niks. Behalve dat alle gasten een welkomstlied gingen zingen voor jonkheer Gieter en zijn vrouw.

Achter een paal klonk opeens een bekende stem.

Ik herkende de stem uit duizenden. Dit was het valse geluid

van gruwelijke Lenie, de ongekroonde koningin van de plattelandsmisdaad. We bevonden ons in het hol van de leeuw.

Ik tastte in mijn broekzak: de tube met Superattack voelde warm aan. Het was tijd om in actie te komen.

'Met je snoepje,' hoorde ik Lenie zeggen.

Zuurtje zal ze bedoeld hebben.

'Vanavond gaat het gebeuren. Nog even en we zijn voor altijd bij elkaar,' zei ze weer. 'Ik bel je nog.'

In de bak zul je bedoelen, dacht ik.

'Ik wacht op het wachtwoord en dan wordt het plan in werking gesteld.'

Teuntje en Bas hadden ook ademloos meegeluisterd.

We hoorden dat Lenie het gesprek beëindigde en wegliep.

'Krijg nou wat,' riep Bas. 'We zouden alleen maar poolshoogte nemen. Moet je nagaan, nou hebben we de zaak bijna opgelost.'

'Welke zaak?' vroeg ik vriendelijk.

'Nou ja, gewoon een zaak, je begrijpt wel wat ik bedoel.'

'Er is pas een zaak als er een zaak is. We weten alleen maar dat Lenie hier is en dat ze iets van plan is. We gaan er zo achterkomen wat die achterbakse vrouw wil gaan uitspoken. Luister, ik heb een idee,' zei ik toen.

'Wat dan?' vroeg Teuntje.

Hang aan mijn lippen, wilde ik zeggen. Maar dat gaat een beetje moeilijk als je verstopt zit in de kont van een paard dat is gemaakt van prikstof.

'Breng ons naar de grote deur van de feestzaal,' fluisterde ik. Die deur had ik gezien toen ik Lenie hoorde bellen.

We stonden in de deuropening. 'Oké,' zei ik tegen Teuntje. 'Jij gaat zo meteen naar het orkest en dan zeg je dat ze over drie minuten "Zie ginds komt de stoomboot" moeten spelen. Zeg erbij dat het een verrassing is voor jonkheer Gieter en zijn vrouw. Zeg hem ook dat hij moet omroepen dat iedereen naar de grote feestzaal moet komen.'

'En dan?' vroeg Bas.

Ik liet hem het tubetje met het geheime wapen van ons detectivebureau zien. 'We doen de deur dicht en spuiten het slot helemaal vol. Zo kan niemand de feestzaal meer in of uit.'

'Ja, en?' vroeg hij weer.

'Je moet je af en toe laten verrassen, dat is heel gebruikelijk in de grote stad. Dat moeten jullie op het platteland nog een beetje leren,' zei ik geërgerd.

'Jij mag blij zijn dat je niet tegenover mij staat,' riep Bas briesend van woede.

Toen Teuntje terugkwam, riep de dirigent om dat iedereen naar de feestzaal moest komen voor een verrassing. Ik kon alleen maar hopen dat Lenie er ook naartoe zou komen.

Maar op de een of andere manier had ik daar wel vertrouwen in.

Dat krijg je als detective met ervaring.

'De band begint zo meteen het nummer te spelen,' hoorde ik Teuntje zeggen.

Er waren nog een paar minuten te gaan en de seconden leken wel minuten te duren. Met Bas sprak ik af dat we, zodra de eerste maten door het orkest werden ingezet, het slot zouden volspuiten. De deur zou dan in tien seconden potdicht zitten.

We moesten nog even geduld hebben en dan zouden we weten wat gruwelijke Lenie en haar kompanen van plan waren.

Zie ginds komt
de stoomboot

We stonden bij de deur toen het orkest 'Zie ginds komt de stoomboot' begon te spelen. Bas hield de deur vast en ik spoot de hele tube in het slot. Ik telde tot tien en probeerde de deur even. Maar die zat potdicht. Superattack, wie kan er eigenlijk nog zonder?

Iedereen zong uit volle borst mee. Ik keek door de kijkgaatjes in het paard, maar er gebeurde helemaal niks. Zouden we nou weer op een dood spoor raken?

Opeens gingen de lampen in de feestzaal uit. Het was pikdonker en iedereen begon naar de deur te rennen. Bas en ik konden nog net op tijd wegkomen.

'Wie heeft de deur op slot gedaan?' gilde jonkheer Gieter boven de krijsende gasten uit.

Er zat natuurlijk geen beweging in de deur. Dat is nou juist de kracht van de superlijm. Ook aan de andere kant stond iemand tegen de deur te trappen.

'Ga naar de stoppenkast,' riep de jonkheer.

Ondertussen werden wat kaarsen aangestoken.

'Zie jij iets verdachts?' vroeg ik aan Teuntje.

'Ik kan geen hand voor ogen zien, je weet toch dat ik nacht-blind ben?'

Ik zuchtte. Kees & Ko detectivebureau heeft een speurders-hond met hooikoorts en een vennoot die in de nacht niet in-zetbaar is vanwege nachtblindheid.

De lampen gingen weer aan. Nu zou het moment van de waarheid aanbreken. Zo meteen zou Lenie ontmaskerd wor-den en dan had het detectivebureau weer een zaak opgelost.

Opeens klonk er een kreet die door merg en been ging. Jonkvrouw van Bosch tot Groenesteijn wees naar een kale plek boven de marmeren schouw. 'Het koeienmeisje van Pau-lus van Meer.'

Ik schrok. Dus dat was het plan van Lenie: de roof van schilderijen. De jonkvrouw was inmiddels flauwgevallen: ze had gezien dat er nog meer open plekken aan de muren waren.

'Het koeienmeisje,' hoorde ik iemand zeggen. 'Daar heb ik thuis een koektrommeltje van.'

Dan was het vast wel wat waard, dacht ik, anders zouden ze er geen koektrommeltjes van maken.

Buiten klonken de sirenes van de politie. Iemand had ze blijkbaar gebeld.

Zo meteen zou de deur worden opengebroken. Dan zou ie-dereen zien dat Lenie vermomd was als Sinterklaas en dan zouden de schilderijen weer teruggehangen kunnen worden.

Maar ineens begon ik te twijfelen. Waar waren die schilderijen eigenlijk gebleven? En als die schilderijen niet meer hier waren, dan was Lenie er misschien ook niet meer. Niet alles is zo simpel als het op het eerste gezicht lijkt.

Hoe had Lenie uit de feestzaal kunnen ontsnappen? De deur zat potdicht en met tien schilderijen onder je arm klim je niet zo makkelijk door een raam.

De politie had de deur bereikt en slaagde er na lang duwen in die open te breken.

Opeens besefte ik dat ik misschien wel eens als verdachte kon worden gezien. Ik had het tubetje met Superattack nog steeds in mijn broekzak. Ik had het in mijn kontzak gestopt, bedacht ik me. Ik voelde en voelde. Toen merkte ik dat het paardenkostuum aan mijn spijkerbroek zat vastgeplakt. Hoe kon alles toch steeds zo tegenzitten? Wat voor oplossing moest ik hier weer voor bedenken?

'We moeten maken dat we wegkomen,' fluisterde ik zenuwachtig tegen Teuntje.

'Waarom?'

'Dat stomme paardenpak zit aan mijn broek vastgeplakt. Daarom!'

Door de verwarring die ontstond toen de politieagenten letterlijk met de deur in huis vielen, konden we ongemerkt ontsnappen.

Bas en ik galoppeerden over het gazon met de fontein naar het toegangshek. Opeens zagen we een flits. Iemand had een foto van ons gemaakt.

Bij het hek bleven we hijgend staan.

'Shit,' zei Bas, 'je hebt de pech wel aan je kont hangen, hoor.'

'Dat kun je wel stellen,' antwoordde ik.

'Wat moeten we nu doen?' vroeg Teuntje.

'We zullen nog een keer terug moeten naar het kasteel van jonkheer Gieter. Er is iets vreemds aan de hand. Hoe kunnen de schilderijen nou verdwenen zijn, terwijl Lenie en haar handlangers niet weg konden komen. We hadden de deur dichtgelijmd, of niet soms?'

'Dat klopt,' zei Bas.

'Maar hoe zijn ze dan ontsnapt?' vroeg Teuntje.

'Van binnenuit,' antwoordde ik. 'Wat dachten jullie van een geheime gang?'

'Een geheime gang?' vroeg Bas.

'Ja,' antwoordde ik. 'Bijvoorbeeld achter de open haard. Of achter een draaiende boekenkast vol boeken? Of misschien wel achter een wandtapijt of onder een luik in de vloer?'

Ze keken me aan alsof ze nog nooit een speelfilm hadden gezien. Een detective moet altijd bij blijven en verdwijntrucs horen daar nu eenmaal bij. Misschien hadden ze van een goochelact gebruikgemaakt, bedacht ik.

Op het terrein zag ik nu mensen met zaklampen onze kant uit komen. Ik keek om me heen. Ze kwamen steeds dichterbij. Ik stroopte het achterstuk van het paard met de daaraan vastgeplakte spijkerbroek van me af en stond even later in mijn onderbroek. Bas had ook de voorkant afgedaan en met zijn drieën renden we zigzaggend tussen de bomen door naar onze fietsen bij het tuinhuis.

We waren net op tijd weg. Hijgend stonden we bij het zand-pad.

'Wat doen we nou met dat paardenpak?' vroeg Teuntje.

Ik moest opeens aan de kledingactie voor de overstroomde ontwikkelingslanden denken, waarvoor we een plastic zak hadden gekregen.

'Geef maar aan mij,' zei ik. 'Dat paard gaat naar een heel ver land.'

'Welterusten,' riep ik naar Teuntje en Bas. 'Morgen om elf uur bespreking op het hoofdkwartier.'

'Leuke onderbroek heb je aan,' zei Teuntje nog.

Het was maar goed dat het zo donker was, want ik moest opeens heel erg blozen.

De volgende dag

Ik werd vroeger wakker door het slaan van de kerkklokken. Het was zondag en op het platteland is het dan nog stiller dan normaal. Naast mij op de grond lagen de twee helften van het paardenpak.

Ik schoot mijn bed uit; dit bewijsmateriaal moest meteen verdwijnen. Waar was die zak voor 'kleding voor slachtoffers van de watersnood' gebleven?

Mijn vader was niet achterlijk. Als hij zou horen over een ontsnapt verkleed paard tijdens de spectaculaire schilderijenroof in het kasteel van de jonkheer, zou hij meteen aan mij denken. Ik wist het wel zeker. Vooral de combinatie met dichtgeplakte deuren zou hem, en hem niet alleen, heel wantrouwend maken.

Gelukkig stond de zak halfvol in de keuken en ik sloop weer naar boven om het kostuum op te halen en dat onder in de zak te verstoppen.

Het huis was nog in diepe rust en ik voelde me tevreden

toen ik het paard kwijt was. Zou het dan eindelijk eens een keer meezitten? Want het onderzoek naar de ontsnapping en valse criminele plannen van Lenie schoot niet echt op.

Iedere detective weet dat het heel veel doorzettingsvermogen kost om een zaak tot een goed einde te brengen. Maar de dankbaarheid van de slachtoffers geeft je elke keer weer energie om door te gaan. Dat wordt ook wel eens onderschat. Een detective heeft altijd het hart op de juiste plaats.

Ik keek op de klok boven de keukentafel. Het was nog geen acht uur en mijn trouwe vriend Ko stond te wachten tot ik hem naar buiten zou laten.

Ik pakte zijn riem en hij sprong deze keer niet tegen mij op. Zou mijn training dan nu eindelijk succesvol zijn? In deze zaak kwam de naam van Ko eigenlijk alleen maar voor in de naam van het detectivebureau. Veel had hij nog niet gedaan.

'Kom Ko, jij en ik gaan een hele lange wandeling maken en een goed gesprek voeren.'

Ko keek met zijn kopje schuin naar de dvd boven op de kast.

Ik stelde hem gerust. 'Misschien dat deze man nog poezen mag gaan trainen. Maar jou niet meer, Ko, jij bent niet voor de poes. Wij, jij en ik, zijn klaar met Martin.' Om dit te bewijzen, pakte ik de dvd van Martin en deed hem ook in de watersnoodzak.

Ko kwispelde met zijn staart.

'Ko,' zei ik, 'vanaf vandaag wordt alles anders. Ik voel het.'

Toen opende ik de keukendeur.

We liepen het zandpad af naar de weg en ik snoof de frisse ochtendlucht van het platteland op.

'Ko, vanaf vandaag ga je helemaal meedoen met het bureau.'

In de verte was Het Smulei.

'Zullen we doen wie er het eerste is, Ko?' vroeg ik.

Ik begon te rennen en Ko ook.

Maar net op tijd zag ik dat er wat mensen bij Het Smulei stonden. Nou had ik daar al de nodige onthullingen meegemaakt, dus ik was op mijn hoede.

Ko bleef echter doorrennen. Ik durfde hem niet terug te fluiten, want ik wilde niet de aandacht op mij vestigen.

Via een paar dikke bomen kwam ik tot vlak bij Het Smulei.

Hoe vaak heb ik al niet gezegd dat toeval in het leven van een detective niet bestaat? Bij Het Smulei stonden Antoine, juf Drijver en gruwelijke Lenie zelf.

Lenie stond te schelden – ik wilde mijn vingers het liefst in mijn oren steken, zo vals en schel klonk haar stem, maar dan had ik het gesprek niet kunnen afluisteren.

'Mislukkingen zijn jullie, allemaal.' Ze wees met haar vinger naar juf Drijver. 'Ben jij soms achterlijk, stomme koe? Hoe haal je het in je hoofd om met een shovel het huis van die randdebiel te willen rammen. Je moet wel rekening met mij houden.' Lenie haalde even adem. 'Met dit soort mensen moet ik werken. Je mag blij zijn dat je in afwachting van de rechtszaak op vrije voeten bent gesteld. En dan die vertoning van gisteravond. Welke idioot had die deur dichtgeplakt?'

'Wij niet,' zei Antoine. 'Misschien dat het die kinderen waren.'

'Als het die geniepige onderkruiper van een bleekscheet is, ontplof ik,' hoorde ik Lenie zeggen.

Ga je gang, dacht ik bij mezelf. Knal maar lekker uit elkaar, dan is dat probleem voorgoed opgelost.

'Het kasteel is de hele nacht omsingeld door politieagenten,' zei Lenie. 'Ze zijn nu op zoek naar iemand die zich als paard verkleed had. Ik ben benieuwd wie dat was. Die persoon verdient een lintje, want nou denken ze dat hij erachter zit.'

'Verkleed paard?' hoorde ik juf Drijver zeggen. 'Toch niet een bruin paard dat uit twee helften bestond?'

'Wat weet jij daarvan?'

'Dat pak heb ik gemaakt voor de kinderopera. Die vreselijke Kees speelde de achterkant van het paard.'

'Het kan niet waar zijn,' zei Lenie. 'Niet weer, hè? Zou dat joch het doorhebben? Kan hij niet in een kist verscheept worden naar een ver land? Ik haat hem, ik...' Ze maakte een beweging alsof ze een sinaasappel aan het persen was. 'We moeten van die meelworm af, hij brengt de hele operatie in gevaar.'

Antoine stond er met een bleek gezicht bij. Volgens mij durfde hij Lenie niet in de rede te vallen.

'Ik heb er helemaal geen zin meer in,' zei juf Drijver weer. 'Zoek het maar uit met Antoine, ik ben er helemaal klaar mee.'

Nu ging Lenie voor haar staan. 'Nou moet je goed luisteren, schoonzus van me, vervelende dievegge. Je zit er tot aan je nek in en je kunt er nu niet meer tussenuit knijpen.'

Ik hield me nog steeds muisstil. Wat ik hier allemaal te

weten kwam! Lenie maakte er gewoon een crimineel familie-bedrijf van.

Nu begon juf Drijver te huilen. Maar Lenie was onverbid-delijk.

'Dan had je maar beter moeten nadenken toen je vijf jaar ge-leden samen met je broer krasloten bent gaan vervalsen. Wat fijn dat ik hem via die datingsite heb leren kennen en wat heer-lijk dat we daarna in de gevangenis konden trouwen. Gelukkig dat mijn lieve Antoine mij alles over die krasloten heeft ver-teld. In een goed huwelijk heb je geen geheimen voor elkaar.'

Asjemenou, dacht ik bij mezelf, het lijkt wel alsof tegen-woordig iedereen het criminele pad inslaat.

'Wat gaan we nou met dat vervelende melkmuiltje met zijn gemene smoeltje doen? Ik zou hem wel tot moes willen slaan,' zei Lenie. 'Ik ben er bijna zeker van dat dat achterbakse joch die deur heeft dichtgelijmd. Wat een gelukje dat jullie vader vroeger als tuinman voor het kasteel heeft gewerkt. Anders hadden we nooit geweten dat er een geheime deur achter de boekenkast zit. Eén druk op het boek *Alles over de grasparkiet* en weg waren we. Zonder Antoine had ik dat niet geweten. Daarom hou ik zo van hem.'

Antoine lachte schaapachtig.

Lenie keek op haar horloge. 'Jullie kunnen nu beter weg-gaan, ik smeer hem zo ook weer naar de schuilplaats. Het is veel te link om hier te zijn.' Ze zette een knalrode pruik en een zonnebril op.

'Pas je op dat ze je niet snappen?' zei Antoine.

'Daar hoef je niet over in de put te zitten.' Ze bulderde van het lachen. 'Ik ga die put in en niemand weet dat het de toegang is van de schuilplaats.'

Ik dacht diep na. Put? Wat zou ze daar nou mee bedoelen?

'Dinsdag tijdens de filmopnamen smokkelen we de buit uit het kasteel en daarna...' ze wierp zich in de armen van Antoine '... zijn we voor altijd samen.'

Ik huiverde, want ik wist dat Lenie zo onbetrouwbaar was als het maar kon.

Antoine en juf Drijver vertrokken in de witte auto. Lenie bleef nog even bij Het Smulei staan, haar vroegere hoofdkwartier.

Haar mobiele telefoon ging af.

'Met mij,' hoorde ik haar zeggen. 'Je kunt me nu ophalen. Nee liefje, maak je geen zorgen. Die kluns is als was in mijn handen en zijn stomme zus ook. Ze doen precies wat ik zeg. Nog even en dan zitten we samen op een tropisch eiland en hij en zijn zus in de bak. Je hebt er toch wel voor gezorgd dat een van die schilderijen bij haar thuis is verstopt?'

Lenie begon nu heel erg vals te lachen. 'Wat is het heerlijk om gemeen te zijn. Nog even geduld lieverd. Nog heel even moet je in die bouwkeet blijven, want Antoine mag niets vermoeden. Daarna rijden we met de auto van Antoine en de kunstschatten van de jonkheer hier voorgoed vandaan.'

Ik wist het gewoon, ik had al zo'n voorgevoel: Lenie wilde iedereen er weer inluizen. Maar ik ging daar een stokje voor steken.

'Nou Martin, tot zo, dan kunnen we elkaar heel even zien.'

Daarna hoorde ik Lenie smakkende geluiden maken: ze verstuurde haar kusjes mobiel.

Getverderrie! Ik voelde me helemaal eng worden vanbinnen.

Opeens hoorde ik haar gillen. Ik zag dat Ko aan een van Lenies broekspijpen hing. Natuurlijk, hij had haar de naam Martin horen noemen.

Waarom moest dat stomme beest juist op dit moment toehappen? Hij zou alles kunnen verraden! Wat moest ik doen?

Zo meteen zou hij nog naar mij toekomen. Stel dat ze ging kijken in het bos. Ik moest me ergens anders verstoppen. Daar was een bosje riet, daar zou ik me achter kunnen verbergen. Ik sprintte ernaartoe.

Wat kan het leven toch moeilijk zijn. Als detective moet je soms zo snel handelen dat je door de druk af en toe iets vergeet.

Pas toen ik tot mijn middel in het water tussen het groene kroos stond, wist ik weer dat achter het riet een vijver was. Ik bleef roerloos staan.

Even later hoorde ik Lenie gillen: 'Hou jij die hond in bedwang, dan ga ik die meelworm zoeken. Want als die lopende worst hier is, dan moet die etterbak ook in de buurt zijn. Ik doe hem iets, daar kun je op vertrouwen. Ik laat niet voor de zoveelste keer mijn zaakjes door hem in de war sturen.'

Blijkbaar was Martin gearriveerd.

Ik hoorde haar nu bij het riet staan en ik dook nog net op tijd kopje-onder.

115

Toen ik weer bovenkwam om lucht te happen, was ze verdwenen. Ik hoorde verderop Martin praten.

'Die hond was vast ontsnapt, misschien maak je je te druk. Laat die hond met rust, we willen niet de aandacht op ons vestigen. Kom, laten we naar mijn scooter gaan.'

Ik stond nog steeds in het water en ik had het gevoel dat mijn kleding een schuilplaats was geworden voor allerlei ongedierte.

Jeuk, overal jeuk. Ik wilde het liefst alles uittrekken.

Ik hoorde in de verte een scooter starten en wachtte nog even voordat ik uit de vijver klom. Ik wilde er zeker van zijn dat Lenie vertrokken was.

Toen er naar mijn idee genoeg tijd was verstreken, klauterde ik op de kant.

'Ko,' riep ik, 'kom bij de baas.' Maar ik kreeg geen antwoord.

De jeuk werd intussen steeds erger. Ik trok mijn T-shirt over mijn hoofd en begon me overal te krabben.

Bij Het Smulei hoorde ik een zacht gepiep.

'Ben jij dat, Ko?' riep ik nu hard en ik trok intussen mijn broek en mijn natte sokken uit, want ook mijn benen jeukten als een gek.

Het gepiep kwam uit de grote kist naast Het Smulei.

Mijn hart sloeg over, het zou toch niet waar zijn? Had dat misselijke mispunt mijn trouwe bondgenoot op dezelfde wijze opgesloten als mij een tijdje terug? Ik moest denken aan de angstige momenten tijdens de ontknoping van de eerste zaak van Kees & Ko detectivebureau, toen ik per ongeluk in een kist belandde. Let wel, door toedoen van gruwelijke Lenie.

Op de kist lagen een paar stoeptegels. Alsof Ko dat deksel ooit zelf had kunnen openen. Ik bevrijdde mijn arme hond.

Toen ik daar kleumend in mijn natte onderbroek stond met mijn hond die stond te trillen op zijn korte pootjes, wist ik het zeker: het detectivebureau zou er alles aan doen om deze dierenbeulen en criminelen voorgoed achter slot en grendel te krijgen.

Een plan van aanpak

Met het bundeltje natte kleren onder mijn arm rende ik samen met Ko naar huis terug. Door de gebeurtenissen van het afgelopen uur was ik helemaal vergeten dat ik met Teuntje en Bas had afgesproken in ons hoofdkwartier.

Net toen ik het grasveld bij onze boerderij wilde oversteken, merkte ik de nieuwe caravan van mijn oom en tante op. Te laat: de Danseres stond op het trappetje van de caravan. Precies op het moment dat ze mij zag, begaf het elastiek van mijn onderbroek het. Ik viel languit voor haar op het gras en voelde me zo bloot als ik me nog nooit had gevoeld. De Danseres staarde me met open mond aan.

Wat moest ik zeggen?

Ik hoefde niks te zeggen, want Bas en Teuntje kwamen erbij staan. Bas hield zijn hand voor de ogen van Teuntje en hielp me overeind. Hij griste een theedoek van de waslijn van de Danseres. Ik hield hem voor.

'We zamelen geld in voor slachtoffers van de watersnood,'

vertelde Bas aan de Danseres. 'Misschien wilt u ook meedoen.'

Mijn tante dacht even na. 'Ik geef al aan andere goede doe-
len.'

Toen deed ze de deur dicht.

'Dit is de laatste keer dat ik hier ben geweest,' hoorde ik
haar zeggen via het open raampje.

Ik zou het goede nieuws snel aan mijn vader vertellen, besloot ik.

'Gaan jullie vast naar de schuur,' riep ik, 'dan trek ik snel wat
droge kleren aan.' Ik trok mijn onderbroek omhoog en hield
hem goed vast. Teuntje had mij nog niet zo lang geleden in
mijn onderbroek gezien en nu ook nog in mijn blote billen.
Mijn afgangen op het platteland mogen nooit de grote stad bereiken, dan is het voorgoed onmogelijk om terug te keren.

Binnen gooide ik mijn kleren in de droger en trok snel iets
anders aan. Toen ik door de keuken terug liep, zag ik mijn zus
aan de keukentafel zitten.

'De boerderij is na de kruising meteen links,' zei ze tegen
een spiegel.

Zou mijn zus verliefd op zichzelf zijn geworden? Zou ze alleen nog maar via de spiegel met zichzelf praten?

'Je kunt gewoon je mond houden,' zei ze voordat ik een opmerking kon maken.

'Als je het wilt weten: ik ben mijn rol voor de film aan het
leren. Dan ben ik goed voorbereid als ik naast Martijn sta. Dit
wordt mijn doorbraak.'

'Dat zal niet meevallen,' reageerde ik.

'Hoe bedoel je?'

'Nou, om zo'n lap tekst van één regel uit je hoofd te leren. Ik hoop dat je genoeg MB's hebt op je harde schijf.' Ik wees naar haar hoofd.

Ze stond boos op. 'Over harde schijf gesproken.' Ze liet haar mobieltje zien met een plaatje van mij liggend in het gras, waarbij duidelijk twee blote witte billen te zien waren. 'Ik denk dat ze daar bij You Tube wel belangstelling voor zullen hebben, tenzij jij natuurlijk die autofoto's aan mij geeft.'

Ik liep rood aan. Shit, ze had haar mobieltje natuurlijk teruggevonden. Ik stond met mijn rug tegen de muur. Wat kon ik anders doen dan aan Teuntje vragen die plaatjes te wissen.

'Vóór vanavond zes uur,' zei mijn zus.

Mijn vader kwam nu ook de keuken binnen, gevolgd door mijn moeder.

'De danse... ik bedoel, je lieve oom en tante zijn er voor de schildercursus. We hebben al genoeg problemen dankzij jou gehad. Je blijft minstens een straal van twintig meter uit de buurt van hun caravan. Heb je dat goed begrepen?'

Ook mijn moeder keek me ernstig aan.

'Dat beloof ik,' zei ik toen. 'Anders komen ze zeker nooit meer op bezoek?'

Ik meende een twinkeling in de ogen van mijn vader te zien.

'Precies,' zei mijn vader, 'en daar zou je moeder heel verdrietig van worden.'

Mijn moeder knikte.

'Je oom Eef en Cneut komen ook met de camper in verband met de filmopname,' vervolgde mijn vader. 'Dus ook daar geldt afstand: heel veel afstand. Zeg maar ook weer een straal van zo'n twintig meter.'

'Je bedoelt zo'n soort graancirkel die ook wel eens in de krant staat, door buitenaardse wezens gemaakt?' vroeg ik.

'Precies,' zei mijn vader.

Opeens zag ik een opening. 'Misschien kan ik beter bij Bas logeren, dan kan er helemaal niks fout gaan.'

Mijn vader hapte naar adem en toen wist ik dat ik hem in een hoek had gedreven. Hij kon niet meer voor- of achteruit.

'Ik kom zo mijn spullen halen.' Toen liep ik de keuken uit naar ons hoofdkwartier in de schuur.

Ik klopte aan de deur. Drie keer, zoals we bij de oprichting van het detectivebureau hadden afgesproken.

Bas en Teuntje zaten op de oude hooivliering.

'Waarom liep je in je onderbroek?' vroeg Teuntje. 'Gaan jullie een naaktcamping beginnen of zo?'

Toen vertelde ik wat ik bij Het Smulei allemaal had gehoord.

'Wat een toeval dat jij daar net was,' zei Bas.

Kijk, dat is nou het verschil tussen een amateur en een professional. Maar ik had geen zin om voor de zoveelste keer de hoofdregel te herhalen die werkelijk in elk handboek voor detectives staat.

TOEVAL BESTAAT NIET

'En wat nu?' vroeg Teuntje.

Ik keek naar het plafond.

'We hebben tot en met dinsdag de tijd om het plan van

Lenie te laten mislukken. Maar daarvoor is het nodig dat ik tijdelijk verhuis, want het wordt bij ons iets te vol.' Ik keek naar Bas. 'Ik kom tijdelijk bij jou logeren.'

Bas keek verschrikt. 'Bij mij op de kamer?'

'Liever niet, ik snurk namelijk,' loog ik erop los.

'Wat voor plan heb je bedacht?' vroeg Teuntje.

'Elk plan begint met een lijstje,' antwoordde ik.

Ik liep heen en weer.

1. Lenie, Martin, Antoine en juf Drijver zijn hoofdverdachten.
2. Lenie is getrouwd met Antoine, maar bedriegt hem met Martin.
3. Juf Drijver heeft krasloten vervalst. Zij wordt afgeperst door valse Lenie, zoals die misdaadheks met iedereen doet.
4. Juf Drijver heeft waarschijnlijk de shovel gestolen waarmee Lenie is ontsnapt.
5. Lenie heeft met haar criminele hulpjes de schilderijen van jonkheer Gieter gestolen.
6. De schilderijen worden bewaard in een geheime berging achter de boekenkast, waarvan het boek *Alles over de grasparkiet* de deurklink vormt.
7. Lenie gaat er dinsdag vandoor met haar doortrapte geliefde Martin. Antoine denkt dat hij dan voor altijd met haar samen is. Maar zij zal hem verraden, zoals ze altijd iedereen bedriegt.
8. Deze vrouw is een gevaar voor het platteland, we moeten haar stoppen.

'En hoe gaan we dat dan doen?' vroeg Bas.

Ik keek door het raam van de schuur en ik zag dat de Neus en de Danseres hun schildersezels buiten hadden neergezet.

Dat is nou het voordeel van detective zijn. Een detective, of laat ik zeggen een goede detective, kan snel denken en improviseren.

Ik keek Bas en Teuntje aan. 'Het antwoord op deze vraag ligt in de schilderkunst van de Neus en de Danseres,' zei ik ernstig.

'Ik snap het niet,' antwoordde Teuntje. 'Misschien dat Bas en ik een gedachtesprongetje hebben gemist.'

'Laat ik het even samenvatten,' zei ik. 'Lenie wil ertussenuit knijpen met schilderijen. Van mij mag ze, maar dan wel met de mooie kunstwerken van de Neus en de Danseres, zonder dat zij dat in de gaten hebben.

Teuntje en Bas keken mij vol ongeloof aan.

'Ik snap er niets van,' zei Bas. 'Wat wil je nou? We kunnen ook de politie bellen en klaar is Kees.'

Ik keek hem vies aan vanwege het woordgrapje.

'Misschien zijn jullie er klaar mee, maar ik niet. Een beetje detective lost de zaak helemaal op en dan kan de politie de boeven afvoeren. Maar als jullie er liever mee willen stoppen, dan doe ik het allemaal wel alleen, hoor.'

'Nee, nee.' Teuntje stond op en klopte wat stro van haar broek.

'We gaan er nog even mee door. Maar als het te moeilijk wordt, bellen we de politie.'

Ik moest hier wel in meegaan, want de zaak was te ingewikkeld geworden om in mijn eentje op te lossen.

'Goed,' zei ik toen, 'maar nu moeten we een plan van actie maken.'

1. De Neus en de Danseres moeten lekker doorschilderen.
2. De schilderijen van de Neus en de Danseres moeten worden omgeruild met die van de jonkheer die in de geheime bergplaats staan.
3. De schilderijen van jonkheer Gieter moeten worden teruggegeven.

'Zo gemakkelijk is dat niet,' riep Bas.

'Heb ik dat dan gezegd?' reageerde ik.

Bas kiest altijd de makkelijkste weg, maar de ware detective weet dat niets zo gemakkelijk is als het lijkt.

Teuntje keek over mijn schouder naar buiten.

'Dan zullen die twee even door moeten verven, want we hebben nog maar een paar dagen,' zei ze langzaam.

'Vannacht gaan we lege én beschilderde schilderijdoeken lenen bij de Neus en de Danseres.'

'Lenen?' vroeg Teuntje.

'Ik denk niet dat iemand die doeken wil hebben als ze boven water komen,' zei ik.

'Daar heb je gelijk in,' antwoordde Bas lachend.

'Dus vannacht gaan we op kunstroof,' besloot ik.

Ik sprong de trap af en rende naar mijn huis om slaapspullen te halen. Die logeerpartij kwam goed uit, zo zou ik geen verdachte zijn.

Toen ik naar de schuur terug wilde lopen, stond de Neus mij op te wachten.

'Ik hou jou in de gaten, vriend,' zei hij.

Ik slikte, het is jammer dat ik niet bij iedereen geliefd ben.

Op de schildersezel stond een schilderij. Het leek alsof er een emmer water overheen was gegooid en de verf daarna naar beneden was gedropen.

'Hebt u dat gemaakt?' vroeg ik.

De Danseres was in de deuropening van de caravan komen staan. 'Wat doet hij hier?' Ze wees naar mij. 'Je weet wat we hebben afgesproken, Henk.' Ze tekende met haar vinger een denkbeeldige cirkel in de lucht.

'Misschien kunt u de schilderijen in het kippenhok zetten, dan staan ze veilig en droog,' adviseerde ik ongevraagd. 'Er lopen namelijk schilderijendieven rond. Ze hebben het kasteel van jonkheer Gieter ook al leeggeroofd.'

De Neus keek me met grote ogen aan.

'Het is misschien ook beter voor de verzekering.' Ik gaf hem een knipoog.

'Kom binnen,' riep mijn tante.

'Ik?' vroeg ik verbaasd.

Ze keek me woedend aan.

De Neus liep naar de caravan en ging naar binnen.

Alweer een schilderijenroof

Midden in de nacht waren Bas en ik het huis van Bas uit ge-
slopen. Teuntje stond ons bij Het Gouden Hoofd op te wachten. Ze had een zaklamp bij zich.

'Weet je eigenlijk al waar we die schilderijen gaan opbergen
totdat we ze gaan omruilen?' vroeg ze mij.

Nou moet ik eerlijk zeggen dat ik daar nog niet over had
nagedacht, maar meestal heb ik op het juiste moment een
goed idee.

'Wat dachten jullie ervan om ze even te stallen in ons
hoofdkwartier?' Dat was al eerder de opslagplaats geweest
van 'geleende spullen'. Tijdens het mysterie van de ontvreem-
de scooters hadden we besloten om de zaak op te lossen door
zelf scooters te stelen en in de schuur op te slaan.

'Afgesproken,' zei Bas, terwijl hij met zijn hand op mijn uitgestoken vlakke hand sloeg.

We fietsten naar mijn huis. Aan het begin van het zandpad zetten we onze fietsen tegen een boom. De maan ver-

lichtte het pad voldoende, zodat de zaklamp niet nodig was.

Op het grasveld voor ons huis stond inmiddels ook een camper.

Ik was helemaal vergeten dat oom Cneut en oom Eef ook nog zouden komen. De filmopnamen gingen de volgende dag beginnen.

We slopen naar het kippenhok.

Bas wilde meteen aan het hek trekken, maar dat zat op slot.

'Shit,' fluisterde hij, 'die Neus denkt ook aan alles.'

'Ik ook,' zei ik glimlachend. Ik haalde het koordje tevoorschijn dat aan mijn nek hing met de reservesleutel van het kippenhok. Een goede detective is een goed voorbereide detective. Ik kan het echt niet vaak genoeg herhalen.

Ik pakte het hangslot, stak het sleuteltje erin en even later stonden we in het kippenhok. De Danseres en de Neus hadden goed doorgewerkt. Iets wat op onze boerderij leek, stond op verschillende doeken. Bij sommige schilderijen vroegen we ons af of het huis niet ondersteboven was geschilderd.

Even later stonden we met alle beschilderde doeken boven op de vliering. De lege doeken had ik tegen de muur gezet. Boven de werkbank van mijn vader had ik wat potjes verf van een plank gepakt. En de ongebruikte verfkwasten, die daar in een pot stonden, kwamen goed van pas. Ik opende een potje met zwarte verf. De drie kwasten hield ik in mijn hand.

'Kom,' zei ik tegen Bas en Teuntje, 'we gaan eens even wat schilderijen voor de portrettengalerij van jonkheer Gieter maken.'

Ik begon met Lenie als opsporingsposter.

```
Gezocht

Gruwelijke Lenie,

'de octopus'

De gevaarlijkste vrouw van het
platteland
```

Bas maakte een portret van jonkheer Gieter. Hij had ergens een rood potlood vandaan getoverd en de neus van de jonkheer rood gemaakt. De jonkheer houdt namelijk wel van een borreltje.

Jonkeer Gieter Cognac, schreef hij erop.

Binnen een halfuurtje hadden we alle vrienden en bekenden uit het dorp geschilderd, inclusief Lees-Trees en de spiermassa.

We parkeerden de kunstwerken achter een paar strobalen. Ik verheugde me op het moment waarop iedereen ze zou kunnen bewonderen.

Toen we de schuur uit wilden sluipen, zagen we ineens een lichtbundel naar binnen schijnen. We konden ons nog net op tijd tegen de muur drukken.

Buiten klonken de stemmen van Eef en Cneut.

'Ik weet zeker dat ik iets hoorde,' zei Cneut. 'Schijn nog eens goed naar binnen.'

Ik hield mijn adem in.

'Het zal wel een konijn zijn geweest,' zei Eef.

'Misschien dat je even in de schuur kunt kijken,' stelde Cneut voor.

Mijn hart stond zowat stil.

'Ik peins er niet over,' zei Eef. 'Ga zelf maar kijken.'

'Jij hebt ook niks voor mij over.'

'Niet als je spoken ziet en er niks aan de hand is. Misschien was het een wild zwijn, misschien zelfs wel twee.'

'Doe niet zo eng.'

'Geintje, het jachtseizoen is geopend, die laten zich heus niet zien. Ze zijn veel te bang om neergeschoten te worden.'

Toen liepen ze weg. Ik keek door het raam en zag nog net hoe Eef de deur van de camper achter zich dichttrok.

We wachtten nog even en toen slopen we over het grasveld naar onze fietsen.

Eerst reden we langs het huis van Teuntje.

'Slaap lekker!' riepen we haar na.

'Morgen sta ik naast Martijn van der Kroon in de film,' riep ze ons na, 'ik hoop dat ik kan slapen.'

Ik moest slikken. Teuntje dacht dat ze een rol had naast Martijn, maar ik had haar nog niet verteld dat Caro die rol had ingenomen. In de tweede plaats zat het me helemaal niet lekker dat ik concurrentie van ene Martijn van het witte doek had gekregen.

'Ik snap niet wat ze in die sufferd ziet,' zei Bas toen we bij Het Gouden Hoofd aankwamen.

Het duurde lang voordat ik in de logeerkamer van Bas in slaap viel.

In de hoofdrol

Toen ik de volgende ochtend met Teuntje en Bas naar de boerderij reed, vroeg ik me gespannen af of de schilderijenroof al ontdekt was. Maar alles was rustig rond de caravan. Blijkbaar waren de Neus en de Danseres Zonder Naam nog niet bij het kippenhok geweest. De Danseres hing theedoekjes aan een waslijn en de Neus sopte op haar aanwijzingen de caravan.

De bussen en auto's van de filmmaatschappij waren er al wel en stonden schots en scheef in de berm geparkeerd.

Teuntje had een tasje bij zich.

'Wat zit daarin?' vroeg Bas.

'Gewoon wat foto's.'

'Van jezelf?'

Ik zag dat ze rood kleurde, ze had vast en zeker een paar foto's van Martijn in dat tasje.

Slecht nieuws komt nooit gelegen, dat weet elke detective, maar ik besloot dat ik nu een droom aan diggelen moest slaan.

'Teuntje,' begon ik, 'over die film gesproken, echt, het ligt niet aan jou, maar oom Cneut heeft de grootste rol aan Caro gegeven.' Ik zag dat ze moest slikken. Slecht nieuws, hoe je het ook brengt, is nooit leuk om te horen.

'Bedoel je dat we niet meespelen? Ik heb het al aan iedereen verteld.'

'We spelen wel mee, hoor, maar een beetje meer op de achtergrond.'

'Als bewegende vlek dus,' klonk de stem van Caro achter ons. 'Je trekt toch niet die rode trui aan? Want dat leidt de aandacht van mij af. Trouwens, jullie weten dat de figuranten in een aparte bus zitten, ik mag bij de cast.'

Ik zag Teuntje steeds bozer kijken naar mijn onuitstaanbare zus.

Caro keek naar haar nagels. Toen draaide ze zich om.

'Ik waarschuw jou,' zei ze nog tegen mij. 'Waag het niet om die opnamen te verpesten. Ik word nu opgemaakt en dan ben ik helemaal klaar voor mijn rol.'

Ik slikte, er was de laatste tijd niet zoveel vertrouwen in mij. Soms is het niet leuk om Kees te zijn.

Bas tikte op mijn schouder. 'Bij de visagie? Doen ze daar wax in die de hele dag blijft zitten?'

Mijn mond viel open, zo kende ik Bas niet. Bas was opeens ijdel geworden. Zou dat de goede invloed zijn van de stad op het platteland?

Oom Cneut liep zenuwachtig rond met zijn mobiel. Hij had blijkbaar oom Eef aan de telefoon.

'Geen nacht langer,' hoorde ik hem zeggen. 'Ik ga echt niet tussen de wilde zwijnen en rondvliegende kogels slapen. Vanavond slaap ik in Het Gouden Hoofd en de camper gaat naar het kasteel van de jonkheer. Ik laat mijn spullen niet beschadigen. Henk en Annemarie zijn het er ook mee eens, die willen ook wel bij de jonkheer staan.'

Mijn vader zal er blij mee zijn, dacht ik. Meteen zag ik ook een mogelijkheid om de kunstwerken bij het kasteel te krijgen. Die konden makkelijk opgeborgen worden in de camper.

Cneut drukte zijn mobiel uit. Hij zag er een beetje gestrest uit.

'Kunnen jullie alvast in die bus gaan zitten, de opnames gaan zo beginnen.'

'Moeten we niet eerst naar de visagie?' vroeg Bas.

Cneut keek hem even aan. 'Nee hoor, jullie kunnen gewoon jezelf blijven.'

Ik zag dat Bas teleurgesteld keek en ik had te doen met mijn vrienden. Het werd tijd dat het detectivebureau in actie ging komen. De laatste act van het toneelstuk 'De ontsnapping van gruwelijke Lenie en de heldhaftige aanhouding dankzij de beroemdste detective van het platteland, Kees, van het gelijknamige detectivebureau Kees & Ko' was nu aangebroken.

Terwijl Bas en Teuntje in de figurantenbus gingen zitten, liep ik naar de boerderij.

'Wat ga je doen?' vroeg Bas.

'Plassen,' antwoordde ik.

Toen ik terugkwam, zag ik Teuntje en Bas al buiten staan.

Even verderop stond mijn concurrent op het gebied van de liefde. Nou moet ik zeggen dat ik normaal gesproken graag deel, maar nu voelde ik me toch een beetje bezitterig. Ik had al tig keer vaste verkering gehad met Teuntje en deze laatste verkering duurde alweer een eeuwigheid. Ik had geen zin om dit te laten verpesten door de eerste de beste filmster die ook nog eens met zijn foto op allerlei meidenkamers hing. Daar valt toch niet tegen op te boksen. Het was maar goed dat die filmopnamen er binnenkort weer op zaten.

'Figuranten verzamelen,' riep iemand.

Ik zag ineens dat Bas zelf puntjes in zijn haar had gedraaid.

De assistent van de regisseur liet ons weten wat we moesten doen. Nou ja, doen. We mochten een fiets vasthouden en we moesten doen alsof we met elkaar praatten.

'Waar blijft die andere figurant?' hoorde ik de regisseur roepen. 'We hebben niet de hele dag de tijd.'

Hij keek op zijn horloge, toen wees hij in de richting van Teuntje. Een vrouw kwam naar ons toe.

'Kun jij de rol van dat andere meisje overnemen? Het is helemaal niet moeilijk, hoor, je hoeft Martijn alleen maar de weg te wijzen.'

'Ja, hoor,' riep Teuntje blij.

'Visagie,' riep de vrouw. Er kwam een meisje met make-up.

'Ik ga je mooi maken,' zei ze tegen Teuntje. 'Doe je ogen maar even dicht.'

Teuntje was al naar voren gelopen en even later begonnen de opnames.

'Actie,' hoorde ik roepen – de camera's draaiden. Het hoefde maar een paar keer over en toen stond het erop.

Uit mijn ooghoeken zag ik dat die vervelende slijmerd van

een Martijn mijn Teuntje een foto gaf. Vast van zichzelf. Ik had heel veel zin om die vervelende ijdeltuit in die filmsterrenbus op te sluiten. Maar ik had wel wat anders aan mijn hoofd. Er was nog een ingewikkelde schilderijenruil te regelen, via de camper van Cneut en Eef naar de auto van Antoine.

Ik wilde net naar Teuntje lopen toen we werden opgeschrikt door een ijzingwekkende gil. Ik zag vanuit mijn linkerooghoek de Neus en de Danseres bij het geopende kippenhok staan. De schilderijenroof was nu ontdekt, dat was zeker.

Toen klonk er weer een gil. Caro kwam naar ons toe gerend.

'Wie heeft mij in de wc opgesloten? Welke idioot heeft dat gedaan?'

Ik kon aan haar gezicht zien dat ze erg uit haar humeur was.

Teuntje keek mij vragend aan. Ik gaf haar een vette knipoog.

Het mikpunt
van beschuldigingen

De Neus, de Danseres, Caro, mijn vader, mijn moeder, oom Cneut en oom Eef stonden in een kring om mij en mijn vrienden. Opeens kwam ook Mathieu erbij staan. Wat moest die slijmerd hier nu weer? Het was toch uit tussen Caro en hem? Ik vond het nogal bedreigend.

'Waar zijn mijn schilderijen?' gilde de Danseres naar mij. Ze duwde tegen een schouder van de Neus. 'Zeg jij ook eens wat.'

'Zijn ze gestolen?' vroeg ik zo onschuldig mogelijk. 'Wie zou dat nou doen?'

'Wat heb jij tegen mijn schilderijen?' vroeg de Neus.

'Ik weet nergens van en ik heb een alibi, ik was bij Bas. Ik weet van niks.'

Mijn vader nam het woord. 'Als hier rotzooi is, komt het door jou en ook als je niet in de buurt bent, komt het door jou. Dus jij hebt die schilderijen gestolen.'

Aan mijn moeders gezicht kon ik zien dat ik van haar niet veel steun kon verwachten.

'Jij hebt mij opgesloten,' gilde mijn zus. 'Jij hebt mijn film-carrière verpest. Ze moesten jóu opsluiten.'

Ik trok wit weg. Mij opsluiten? De grootste criminelen van het platteland liepen vrij rond en ze wilden mij opsluiten? Het moest allemaal niet nog gekker worden.

'Ik heb een alibi,' begon ik weer. 'Ik zat de hele tijd bij Bas en Teuntje in de bus voor de figuranten.'

Bas wilde wat zeggen, maar Teuntje viel hem net op tijd in de rede.

'Waarom zou Kees dat hebben gedaan? Misschien was het Mathieu wel. Toen ik naar de wc ging, hoorde ik Mathieu en Caro ruziemaken. Mathieu wilde niet dat Caro in de film meespeelde omdat hij bang was dat Martijn haar van hem af zou pikken.'

Ik keek vol bewondering naar Teuntje, ze zou wel eens een heel grote filmster kunnen worden. Wat kon zíj goed liegen.

Caro draaide zich nu woedend naar Mathieu. 'Het is weer uit tussen ons en dan bedoel ik voor altijd.'

Mathieu was des duivels. 'Ik eis een sporenonderzoek.'

Maar niemand leek hem echt serieus te nemen.

De Neus had intussen wat schadeformulieren uit zijn auto gehaald en wapperde daarmee onder de neus van mijn vader.

Ik besloot van de verwarring gebruik te maken en ertus-senuit te glippen. Ik was met Teuntje en Bas bijna bij de schuur toen ik mijn vader hoorde roepen: 'Hierrrrrrrrrr.'

Ik voelde dat dit voor mij bedoeld was en niet voor Ko.

'Zetten jullie onze schilderijen in de camper van oom Eef en oom Cneut?' fluisterde ik nog snel.

Teuntje en Bas knikten.

Ik voelde dat er weer een maatregel aan zat te komen die mijn vrijheid zou beperken. Vooral toen mijn vader naast me stond en me bij mijn linkeroor greep.

Toen we samen in de keuken stonden en ik Ko met een stuk van het paardenpak in zijn bek zag, wist ik dat ik even met mijn bek vol tanden stond.

Mijn vader wees naar het pak.

'Ik weet voldoende,' sprak mijn vader. 'Jij bent degene die achter alle ellende zit en ik ga me heel erg met jou bezighouden.'

Ik kon meteen naar mijn kamer vertrekken.

Toen ik door mijn slaapkamerraam naar buiten keek, besefte ik pas echt goed hoe eenzaam het beroep van een detective eigenlijk is.

Ik zag gelukkig ook dat mijn bondgenoten me niet in de steek lieten. Op het grasveld hield Teuntje mijn beide ooms aan de praat. Bas liep met de in dekens gehulde schilderijen van de schuur naar de camper. Toen hij voor de laatste keer de camper uitkwam, keek hij naar mijn slaapkamer en stak zijn duim op.

Nog één dag, dacht ik, en dan zou alles vergeten en vergeven zijn. We zouden onmetelijk beroemd worden. Kranten, tijdschriften en televisie. Nog één dag en dan zat het erop en zat dat gevaarlijke tuig achter slot en grendel.

Teuntje kwam even onder mijn raam staan. 'Hoe moet dat nou morgen? Kunnen we niet beter de politie bellen en zeggen wat we weten?'

'Ben je gek,' fluisterde ik. 'Dat kan altijd nog. We zitten heel dicht bij de eeuwige roem, dat kleine beetje tegenslag kan ik er nog wel bij hebben. Kom morgenochtend weer naar mijn raam, dan vertel ik je precies wat we gaan doen.'

'Tot morgen,' riep ze nog.

Daarna bleef ik alleen achter en had ik genoeg tijd om een plan te bedenken. Maar vooral moest mijn naam worden gezuiverd, want er zat over een paar maanden een heerlijk snowboardkamp aan te komen en ik mocht niet de dupe worden van deze tijdelijke tegenwind.

Mijn eenzame opsluiting leek uren te duren. De filmcrew had zijn spullen gepakt en toen de laatste auto wegreed, leek de rust teruggekeerd.

Ik hoorde een klop op de deur – het was mijn moeder.

'We moeten even met elkaar praten,' zei ze.

Mijn moeder ging mijn zwakke plek opzoeken, dat kan ze als geen ander. Ik moest heel goed uitkijken, want elke detective houdt van zijn moeder en wil haar nooit pijn doen. Mijn vader gebruikte mijn moeder als geheim wapen om de waarheid uit mij te krijgen.

Ik liep achter haar de trap af.

Op de tafel lagen de twee stukken van het paardenpak met daarin mijn vastgeplakte spijkerbroek.

Mijn vader hield een krantenartikel omhoog waarin melding werd gemaakt van een ontsnapt verkleed paard tijdens het gekostumeerde feest. Hij keek me aan. 'Laten we nog eens even de afgelopen weken doornemen.

Punt één.

Je hebt oma in een paardentrailer gezet en die is daardoor met tien Friese trekpaarden in Knokke terechtgekomen tijdens de paardenkeuringsdagen. Wat heb je daarop te zeggen?'

Ik keek naar de punten van mijn schoenen. Ik wilde mijn moeder niet in haar ogen kijken.

'Oma kan er nog steeds niet van slapen,' zei ze.

'De lucht zag er opeens heel donker uit,' loog ik er op los. 'En toen zeiden Bas en Teuntje dat het weer heel snel kan omslaan op het platteland.'

'En toen?' vroeg mijn vader.

'Toen hebben we oma in de trailer gezet en zijn we vergeten haar er weer uit te halen,' zei ik, opgelucht dat ik iets had verzonnen.

'Door jou wil oma nooit meer hier logeren,' riep mijn vader. 'Dat is heel erg... voor je moeder.'

Ik keek mijn vader even aan, die toen snel naar de grond keek. Een goede daad wordt nooit beloond, neem dat maar van een ervaren detective aan.

'Punt twee.

Je hebt iets meegenomen wat niet van jou is, en dankzij Ko is dat uitgekomen,' vervolgde mijn vader.

Ik keek Ko boos aan en nam me voor om hem een erge tijd te geven met verplichte oefeningen van Martin Gaus.

Mijn vader hield een stuk van het paardenpak omhoog.

'Kun jij uitleggen hoe dat pak hier komt en waarom jouw broek daarin zit vastgelijmd? Kan het soms zijn dat jij op het

139

feest bij jonkheer Gieter bent geweest en iets te maken hebt met die schilderijenroof?'

Ik maak gebruik van het recht om te zwijgen, wilde ik zeggen, maar ik zat nu even niet in een detectiverol. Ik was zelf hoofdverdachte. Dingen kunnen zo omslaan op het platteland, denk alleen maar aan het weer.

Mijn vader pakte de krant erbij. Daar stond een onduidelijke foto van mij en Bas, terwijl we wegrenden in ons kostuum.

'Dat zijn Bas en ik inderdaad. We renden weg omdat de politie kwam en we eigenlijk niet op het feest mochten komen.' Ik trilde een beetje met mijn bovenlip: de dramalessen van juf Drijver kwamen goed van pas. 'We waren zo geschrokken en we dachten: straks krijgen we straf, omdat we zomaar van huis zijn weggeslopen. En toen zijn we maar snel weggerend. Ik heb er heel veel spijt van,' zei ik weer met een trillende stem. Ik was trots op mijn eigen acteertalent: altijd een stukje toegeven als je met je rug tegen de muur staat.

'Maar waarom heb je ons daar niks over verteld?' vroeg mijn moeder bezorgd.

'Ik wilde niet dat jullie er last van zouden hebben,' antwoordde ik.

'Dat is helemaal niet zo,' zei mijn moeder weer. 'Je vader en ik zijn juist heel erg blij dat je het zo naar je zin hebt hier.'

Mijn tactiek begon te werken. Met mijn moeder zat ik al op één lijn, nu moest ik mijn vader nog van mijn goede bedoelingen zien te overtuigen.

Mijn vader tikte ongeduldig met zijn vingers op tafel. Hij wees naar de vastgelijmde broek.

'Kun je misschien uitleggen waarom die broek vastgelijmd zit en waarom toevallig ook de deur van de jonkheer vastgelijmd zat?'

'Ik snap het ook niet,' zei ik snel. 'Misschien heb ik even tegen de deur gestaan en is de lijm door de stof van het paard heen gegaan.'

Mijn moeder knikte naar mijn vader. 'Het is heel gemeen spul, die lijm.'

Ik beaamde dat. 'Je moet ook heel erg uitkijken dat je het niet op je vingers krijgt. Stel je voor dat de lijm door mijn broek en onderbroek was gegaan.'

'Ik moet er niet aan denken,' zei mijn moeder.

Mijn vader keek geërgerd.

'Punt drie.

De diefstal van de kunstcollectie van... je oom en tante,' nam mijn vader weer het woord. 'Kun je bewijzen dat je ook daar niks mee te maken hebt?'

'Waarom zou ik zulke lelijke dingen stelen? Die wil toch niemand hebben?'

Mijn moeder knikte. 'Annemarie en Henk zijn nog maar pas begonnen met schilderen.'

'Ik was trouwens bij Bas, hoe had ik dat nou moeten doen? Ik kan toch niet op twee plaatsen tegelijk zijn?'

'Moet ik dat geloven?' vroeg mijn vader.

'Je kunt ook wel eens vertrouwen hebben in je zoon,' zei mijn moeder.

141

Ik had mijn moeder nu helemaal in mijn zak

'Zie je wel dat ik onschuldig ben,' riep ik vrolijk.

'Ho, ho,' riep mijn vader.

'Punt vier.

De opsluiting van Caro.'

'Ik zat in de bus voor de figuranten, met Teuntje en Bas.'

'Mathieu hing daar ook rond,' zei mijn moeder. 'Die jongen kijkt niet zo fris uit zijn ogen, hoor,' vervolgde ze tegen mijn vader. 'Zoiets zou Kees nooit doen.' Ze aaide door mijn haar.

Yes, wilde ik uitbundig gillen, het is duidelijk dat ik onschuldig ben.

'Mag ik dan nu weer naar buiten?' vroeg ik zachtjes.

Ik durfde nog niet meteen te vragen of ik mijn mobieltje weer terug zou krijgen.

Mijn moeder keek mijn vader aan.

'Natuurlijk, maar blijf toch maar even uit de buurt van oom Henk en tante Annemarie.'

Ik rende naar buiten voordat ze zich zouden bedenken. Ik sprong op mijn fiets om Teuntje het goede nieuws te vertellen.

Oom Eef en oom Cneut stonden bij hun camper.

'Echt,' zei oom Cneut, 'we gaan vanavond niet meer in die camper slapen. We slapen in Het Gouden Hoofd. We rijden de camper nu naar het kasteel.'

'Heb jij iets met verf gedaan?' hoorde ik oom Cneut zeggen.

'Hoezo?' vroeg oom Eef.

'Er zit verf aan de deur van de camper.'

'Misschien heeft Henk of Annemarie dat gedaan?'

Ik fietste snel door. Het was maar te hopen dat Bas de schilderijen van de Neus en de Danseres Zonder Naam goed had opgeborgen.

De ontknoping

De volgende dag werd ik vroeg wakker. Er was werk aan de winkel, want het zou er nu op aankomen. Als alles lukte, zou dit de laatste dag op vrije voeten zijn van gruwelijke Lenie en haar misselijke, misdadige trawanten. Op mijn nachtkastje had ik mijn hele voorraad Superattack klaarliggen. Ik ging haar zo ongelooflijk vastplakken, dat ze dat niet snel meer zou vergeten. Maar eerst moest er nog heel wat gebeuren.

Gisteravond had ik met Teuntje en Bas, die er later ook bij kwam, de tactiek doorgenomen:

1. De schilderijen moeten worden omgeruild.
2. De criminelen moeten worden aangehouden.

'Zo simpel is het allemaal,' zei ik.

'Maar hoe gaan we dat dan doen?' vroeg Teuntje.

Ik wilde net mijn mond opendoen toen Bas mij in de rede viel.

'Ik heb gisteren de schilderijen de camper in gesmokkeld.'

'Dat heb ik gezien,' antwoordde ik. 'Maar wat wil je daarmee zeggen?'

'Dat ik ze er ook weer uit ga halen.'

'Ga je gang,' zei ik toen. 'Dan doe ik wel iets anders.'

'Prima,' zei Bas toen. 'Fijn dat jij de schilderijen uit de geheime bergplaats gaat halen en die gaat omruilen voor de schilderijen van de Neus en de Danseres. Ik zei nog tegen Teuntje: "Laat Kees dat maar doen. Want die wil dat vast heel erg graag zelf doen".'

Ik begon te hoesten. Het platteland had me weer eens in de houdgreep. Je moet zo uitkijken! Voordat je het weet, zit je met één been in een konijnenhol en kom je er niet meer uit.

'Maar ik hoef dat niet zo nodig zelf te doen, hoor. Echt niet,' probeerde ik er nog onderuit te komen. Het idee van een geheime bergplaats achter een boekenkast trok mij totaal niet.

Bas sloeg me op de schouder. 'Top van je, Teuntje en ik zouden wel zo moedig als jij willen zijn.'

Ik zou dus in een donkere ruimte moeten verblijven. Daar ben ik niet dol op.

'Dus ik ga die schilderijen van de Neus en de Danseres naar buiten brengen en de andere schilderijen weer naar binnen?'

'Zo simpel is het allemaal,' zei Bas.

'Wat doet Teuntje dan?' vroeg ik nog.

'Die houdt samen met mij de zaak in de gaten.'

'Nog even een vraagje,' zei ik. 'Als die schilderijen in de auto van Antoine zitten, wat gaan we dan doen?'

Bas keek me even aan. 'Zeg jij het maar, Teuntje.'

Teuntje liep naar de keuken en kwam terug met twee pakken suiker.

Ik fronste mijn wenkbrauwen. 'Toch niet een appeltaart bakken?' vroeg ik nog.

Teuntje schudde haar hoofd. 'Dit gaat in de benzinetank van Antoine. Daar loopt de motor mee vast en dan komen ze niet zo ver.'

Ik voelde me steeds meer buitenspel gezet door mijn twee medevennoten, die mijn rol als directeur steeds meer over begonnen te nemen.

Maar het ergste was wel dat dit plan heel slecht in elkaar zat en dat Bas en Teuntje vast van plan waren het zo uit te voeren.

Toen ik naar huis reed, maakte ik me veel zorgen en besefte weer dat het eenzaam is aan de top.

Zo lag ik dus die dinsdagochtend in bed – ik wist dat ik een beter plan moest bedenken.

Gelukkig had ik mijn Superattack nog achter de hand, want om deze ingewikkelde zaak nu op te lossen met behulp van twee kilo suiker vond ik iets te gemakkelijk. Ik zou echt iets anders moeten bedenken.

Door het keukenraam zag ik dat het terrein al leeg was. Oom Eef, oom Cneut, de Neus en de Danseres waren de avond ervoor vertrokken naar het kasteel. Ko wilde tegen mij opspringen.

'Nee, Ko,' zei ik ernstig. 'De baas is heel verdrietig en teleurgesteld in jou. Ik denk dat ik de dvd van Martin Gaus deel twee ga bestellen, want deel één was niet voldoende om jou wat bij te brengen.'

Ik opende de keukendeur en liep naar buiten. Toen pakte ik mijn fiets en reed naar het kasteel. In de verte lag Het Smulei er rustig bij, totdat ik er opeens een auto zag stoppen. Het was de auto van Antoine.

Ik reed snel het bos in. De ervaring had mij geleerd dat bij Het Smulei altijd wel iets af te luisteren viel en misschien zou mij dat op ideeën brengen om de zaak wel tot een goed einde te brengen.

Weer de pineut

Ik liet de fiets bij een boom achter. Daarna sloop ik naar het Ei. Ik verstopte me achter een dikke boom. Aan de picknicktafel zaten Lenie en Antoine hand in hand.

'Ik kan niet wachten totdat we voor altijd bij elkaar zijn,' hoorde ik Antoine zeggen.

Wacht maar, dacht ik, zo straks op de binnenplaats van de bajes tijdens het luchten. Zo kunnen jullie jarenlang bij elkaar zijn.

'Kan ik niet meteen met je meegaan?' vroeg Antoine.

'Laten we dat nou niet doen,' zei Lenie met haar valse stem. 'Ik rij eerst met de auto naar Bulgarije, daar pak ik een boot naar Zanzibar en vandaar pakken we het vliegtuig.'

'Maar als ze je herkennen,' riep Antoine benauwd.

Lenie liet een glanzende folder zien.

'In Bulgarije kun je je gezicht voor een habbekrats laten veranderen. Heus, niemand zal me herkennen.'

'Maar ik vind je mooi zoals je nu bent,' zei Antoine.

'Echte schoonheid zit vanbinnen,' antwoordde Lenie vals.

Ik schrok van haar gemene stem. Hoe hard je als detective ook kunt zijn, toch blijf je een mens van vlees en bloed.

'Luister.' Lenie keek om zich heen, alsof ze vermoedde dat iemand haar stond af te luisteren. 'Het plan is veranderd.'

Ik spitste mijn oren, eindelijk zouden we ter zake komen. Nu zou ik mijn eigen plan van aanpak kunnen maken.

In mijn zak voelde ik de tubetjes Superattack – die zouden een grote rol gaan spelen. En deze keer zou niet iemand anders met de eer gaan strijken. Ik zou niet in een kist worden opgesloten of in een vrachtauto worden ontvoerd, zoals bij de vorige twee zaken.

'Ik heb Martin gesproken,' zei gruwelijke Lenie.

'Hoezo?' reageerde Antoine achterdochtig. 'Wat moet je met hem?'

'Maak je niet druk, het is alleen maar een vriend, je weet wel, een gewone vriend. Niet zoals jij. Hij heeft aangeboden een stukje met me mee te rijden. Aardig, hè? Hij heeft zelfs de schilderijen al uit de put naar boven gehaald. Die staan nu zolang in de caravan van dat stel, die amateurschilders. Die zijn toch de hele dag naar die cursus. Martin hoeft ze straks alleen nog maar in jouw auto over te laden.'

'Klaar is Kees,' riep Antoine blij.

Lenie begon onbedaarlijk te hoesten, het leek wel alsof ze erin stikte. Antoine bleef haar op de rug slaan.

'Wil je die naam nooit meer noemen,' riep Lenie. 'Ik krijg er uitslag van en ik hoop dat dat misbaksel nu niet weer de zaak in het honderd laat lopen.'

'Rustig maar, liefje, hij weet helemaal van niks,' verzekerde Antoine haar.

Lenie ging staan. Ze gaf Antoine een zoen.

'Ga jij maar naar het kasteel. We zien elkaar in Zanzibar.'

Ik zag Antoine langzaam wegrijden. Ik had wel met hem te doen. De liefde kan je dus in een crimineel veranderen. Voor de liefde moet je echt heel stevig in je schoenen staan. Ik dacht opeens aan Teuntje en dat we ons vaste-verkeringsrecord van de vorige keer al weer gebroken hadden.

Ik stond te popelen om naar het kasteel te rijden. Het zou nu wel een erg makkelijk klusje worden. Gelukkig hoefde ik nu niet in te breken in het kasteel en in mijn eentje een donkere ruimte in te gaan. En de put was kennelijk de toegang tot de bergplaats achter de boekenkast. Zo zie je maar weer: een goede detective wacht z'n kansen af. We hoefden enkel de schilderijen om te wisselen en klaar was Kees.

Ik hoorde Lenie bellen.

'Het is allemaal rond, schatje. Als jij zo meteen even die schilderijtjes in de auto van Antoine laadt, kunnen we weg. Door die filmopnames bij het kasteel merkt de politie ook niks. Wat is het toch heerlijk dat we zo dadelijk voor altijd bij elkaar zullen zijn op dat zalige tropische eiland.'

Op de binnenplaats van de bak, zul je bedoelen, dacht ik. Misschien kan juf Drijver een muurschildering maken van een paar palmbomen. Want die zou daar zeker ook wel een tijdje moeten logeren.

Ik hoorde een scootertje starten en even later zag ik Lenie

wegrijden. Ik keek goed om me heen of er niemand meer achter het Ei stond. Ik was een gewaarschuwd mens, want op het platteland lopen de zaken vaak heel anders dan je gedacht had.

Ik kon niet wachten totdat ik de andere twee van de gewijzigde plannen op de hoogte kon stellen.

Bij het kasteel was het een drukte van belang. Dezelfde mensen die bij ons hadden gefilmd, liepen nu ook weer rond.

Waar zouden Bas en Teuntje zijn, vroeg ik me af. Het was goed om hun over de gewijzigde plannen te vertellen.

Ik gluurde om de hoek van het kasteel waar de caravan van Henk de Neus en Annemarie de Danseres Zonder Naam en de camper van oom Eef en oom Cneut stonden.

Bas en Teuntje waren in geen velden of wegen te bekennen.

Ik hoorde het geluid van een auto en zag Antoine uitstappen. Hij keek schichtig om zich heen.

Nogmaals keek ik op mijn horloge. Waar waren die twee nou?

Ik staarde voor me uit en opeens zag ik iemand uit de caravan van de Neus en de Danseres komen. Hij hield een paar schilderijen onder zijn arm. Het was Martin, de handlanger van Lenie.

Ik zag hoe Martin de schilderijen in de kofferbak van de auto van Antoine deed. Hij liep weg. Ik hoorde hem nog net telefoneren.

'Ze zitten in de wagen, wat mij betreft kunnen we elk moment vertrekken.'

Wat moest ik doen? Ik had geen pakken suiker en er stond mij maar één oplossing voor ogen. Ik rende naar de witte auto en liet het ventiel van een van de banden leeglopen.

Zo, dacht ik bij mezelf, dit was wel wat effectiever.

Maar wat moest ik nu doen? Zou ik dan toch naar de politie gaan?

Ik wilde me net omdraaien toen ik opeens oog in oog stond met mijn aartsvijandin, de koningin van de georganiseerde plattelandsmisdaad.

'Jij hier?' wilde ik verbaasd vragen, maar ze drukte haar stevige bouwvakkershand op mijn mond. Ze had mij in de houdgreep.

Ik wist dat ik erbij was en dat deze zaak niet goed zou aflopen.

Als de nood het hoogst is...

Ik zat vastgebonden in de caravan van de Neus en de Danse-res. En de schilderijen uit het kasteel stonden ook weer in de caravan. Ik was bedwelmd geraakt door de slechte adem van Lenie. Getverderrie, wat stonk die vrouw uit haar mond.

Nog even en ik zou een verre reis gaan maken en het zou geen pretje worden, want ik kon Lenie niet echt een van mijn beste vriendinnen noemen.

Een detective staat er uiteindelijk altijd alleen voor. Ik kon het niet uitstaan dat Bas en Teuntje er niet waren. Ik had het allemaal zo goed gepland en toch dreigde het weer uit de hand te lopen.

Ik had wel willen gillen, maar niemand kon me horen, want ze hadden mijn mond gesnoerd.

Toen hoorde ik de stem van de Danseres Zonder Naam.

'Henk, ik wil die caravan iets meer in het zicht hebben.'

Ik hoorde Henk de Neus mopperen. Ik was nog nooit zo blij geweest mijn oom en tante te horen. Familie is het mooiste

153

wat er is, ook voor een detective. Kom binnen! Kom binnen, pleasssse, wenste ik.

'Wat zullen we nou...' hoorde ik mijn oom roepen.

'Gooi ze in de caravan bij die bleekscheet,' klonk het uit de mond van Lenie.

Shit, ik zou zo meteen gezelschap krijgen van mijn oom en tante.

De deur van de caravan ging open en mijn oom en tante werden vastgebonden en met de monden gesnoerd de caravan in geduwd. Toen ze mij zagen, begonnen ze te kreunen.

Martin bond mijn oom en tante vast aan de tafelpoten en maakte tot slot hun voeten aan elkaar vast met een dik touw.

'Zitten ze goed vast?' vroeg Lenie.

'Die blijven tot Bulgarije zitten,' grinnikte Martin.

De ogen van mijn tante leken wel vuur te schieten. Ik kreeg het gevoel dat zij dacht dat ik hierachter zat. Hoe kon ik me verdedigen met mijn handen op de rug en een doek in mijn mond?

Ik gaf mijn tante een knipoog. Onder alle omstandigheden vriendelijk blijven, dat is vaak het best. We zouden het tot Bulgarije met elkaar moeten zien uit te houden. Als je zo dicht op elkaar in een caravan zit, kun je beter geen conflicten hebben. Maar de blik van mijn oom maakte me er niet geruster op. Voor mijn veiligheid was het denk ik beter dat zij nu vastgebonden tegenover mij zaten. Die gedachte kwam zomaar bij me op.

Toen hoorde ik de motor starten – de caravan begon te bewegen. Niemand die hen tegenhield: we zouden aan een heel verre reis gaan beginnen. De moed zonk me volledig in de schoenen. Ik zag het somber in.

Wat zou gruwelijke Lenie met me van plan zijn? Kon ik niet beter op zoek gaan naar een andere loopbaan? Want laten we eerlijk zijn: het zat de laatste tijd flink tegen.

De caravan schommelde en ik voelde me zeeziek worden.

Het enige wat ik kon doen was hopen op een wonder. Ik sloot mijn ogen en deed een wens.

Toen hoorde ik de sirenes van een aantal politieauto's.

De caravan stopte met gierende remmen.

'*Freeze*,' hoorde ik iemand roepen die blijkbaar veel naar Amerikaanse politiefilms keek.

Ik hoorde Lenie gillen en jammeren en mijn naam een paar keer noemen. Als detective moet je je erbij neerleggen dat je niet altijd bij iedereen geliefd bent.

De deur van de caravan werd opengedaan. Binnen *no time* waren we bevrijd.

Ik was blij dat de nodige politie op de been was, want mijn oom en tante stonden met rood aangelopen gezichten dierlijke klanken tegen mij uit te slaan.

'Misschien moet u het traumateam waarschuwen,' zei ik tegen een agent. 'Ik geloof dat ze mij nu als dader zien, terwijl ik toch ook slachtoffer ben.'

De politie knikte begrijpend. Hij duwde hen zachtjes naar een gereedstaande politiebus. 'Jij ook?' vroeg hij mij vriendelijk.

'Liever niet, ik kan niet zo goed tegen kleine ruimtes.'

Zo stond ik even alleen toen ik in de verte een groepje mensen zag met microfoons.

155

Radio en tv, ging het door mijn hoofd, eindelijk gerechtigheid. Nu zou de naam van Kees & Ko detectivebureau onsterfelijk worden.

Ik rende naar hen toe. Toen zag ik tot mijn schrik Mathieu staan.

Wat moest die nu weer hier?

Hij zag mij ook staan en wees naar mij. Een van de fotografen duwde mij naar hem toe en voordat ik het wist, werden wij samen gefotografeerd.

'Je hebt maar geluk dat deze redder in de nood je nu al twee keer uit de klauwen van misdadigers heeft gered,' zei de fotograaf.

Misschien kwam dit ook op tv en ik besefte dat mijn terugkeer naar de grote stad alleen maar mogelijk was onder valse naam en na een ingrijpende gezichtsverandering.

Hoe het verder ging

Toen ik 's avonds thuiskwam had ik heel wat uit te leggen.

Het bureau van mijn vader was bezaaid met schadeformulieren van oom Henk de Neus. In de keuken stonden alle kunstwerken die tijdelijk in de camper van oom Eef en oom Cnevt hadden gestaan.

Het leek erop alsof iedereen tegen mij was.

Woorden als verbod op internet, verbod op mobieltje, inhouden zakgeld, verbod op detectivebureau, nog een keer inhouden zakgeld en aflassen snowboardkamp vielen.

Ook een zekere Mathieu werd als voorbeeld gesteld. Hij had mij en mijn oom en tante gered, ervoor gezorgd dat Lenie weer achter slot en grendel kwam en de schilderijenroof opgelost. Dat is nu het lot van een detective, een ander gaat er elke keer met de eer vandoor.

Ik liet het allemaal maar gelaten over me heen gaan. Op het platteland komen onweersbuien snel op, maar ze verdwijnen weer net zo snel.

Van Teuntje en Bas begreep ik pas de volgende dag waarom ze niet op de afgesproken plaats waren. Mathieu had hen een briefje van de regisseur gegeven. Daarin stond dat ze naar de bijkeuken van het kasteel moesten komen. DRINGEND! stond er in grote letters.

'Toen we daar aankwamen, bleek er niemand te zijn. Maar opeens trok een onbekende de deur dicht en deed hem op slot,' vertelde Teuntje.

'Toen we je zus Caro en Mathieu hoorden lachen, wist ik dat zij de schuldigen waren.'

'Wat zeiden ze dan?' vroeg ik.

'Dat Teuntje de filmrol op haar buik kon schijven,' zei Bas.

Mijn zus en Mathieu zouden nog aan de beurt komen, besloot ik.

Die kans kreeg ik dezelfde middag toen ik hoorde dat Mathieu op het bordes van het kasteel gehuldigd zou worden. Ik besloot daar een stokje voor te steken.

De volgende dag stond op elke voorpagina van elke plattelandskrant dit hoofdartikel:

Redder in de nood in hoge nood

Van onze verslaggever

De zeventienjarige Mathieu, onze moedige streekgenoot, heeft door diens kordate optreden een einde gemaakt aan de ontvoering van twee volwassenen en een kind. Hij loste daarnaast de spectaculaire roof van zeldzame schilderijen uit het kasteel van jonkheer Groenesteijn op. Tot slot zorgde hij voor de aanhouding van de ontsnapte Lenie G. In deze zaak zijn gisteren nog drie aanhoudingen verricht. Het betreft Martin S., handlanger van Lenie G., de echtgenoot van Lenie G., Antoine D. en zijn zus, die overigens al verdacht werd van poging tot een gewelddelict, is ook in voorlopige hechtenis genomen. Zij wordt ook als medeplichtige beschouwd in bovenstaande zaken. Tot voor kort werkte ze als leerkracht aan de openbare basisschool 'De Regenboog'.

Het hoofd van de openbare basisschool was vanmorgen niet bereikbaar voor commentaar. Volgens onbevestigde bronnen is hij met de plaatselijke biebbus vertrokken naar het buitenland.

Voor de zeventienjarige held was gisteren een ontvangst ten kastele, waar hij door de burgemeester gehuldigd zou worden. Op het moment suprème was hij echter niet te vinden. Pas na lang zoeken bleek waar hij uithing. Een lolbroek had lijm gespoten in de deur van de wc. Het kostte twee uur om de deur, die ook rondom was dichtgeplakt, te verwijderen.

De zeventienjarige redder wilde geen commentaar geven op deze misselijke streek.

Jammer dat er zo met onze helden wordt omgegaan. (red)

Mijn vader liet me het artikel lezen.

'Weet jij hier iets van?' vroeg hij me, terwijl hij me over zijn leesbril diep in de ogen keek.

'Mijn naam is Kees,' zei ik toen. Volgens mij wist mijn vader toen genoeg. Ik zag een lachje om zijn mond. Ik wist dat

Mathieu niet zo goed lag bij mijn vader. Ik gaf hem een vette knipoog.

Bas en Teuntje waren trots op me omdat ik die eikel had opgesloten.

De herfst was nog maar net begonnen en om ons heen waren niet alleen maar herfstblaadjes gevallen. Er zat weer een aantal criminelen stevig achter slot en grendel. Een detective krijgt nooit de dank die hij verdient, daar was ik inmiddels wel achter. Ook dat een verkering heel lang kan duren en heel snel weer op de klippen kan lopen.

Ik maakte tegen Teuntje een verkeerde opmerking over Martijn, de moviestar. Ik zei alleen maar dat mijn oom Cneut ook een poster van hem had.

'Mijn Martijn is geen homo,' zei ze. 'Je bent gewoon jaloers.' Daarna maakte ze het uit.

Ik besloot me te concentreren op het snowboardkamp.

Het detectivebureau zou tot die tijd gesloten blijven. Niets mocht dit kamp in gevaar brengen.

Dit was het dan tot zover.
Ciao! Tot ziens, tot Kees!
Kees & Ko detectivebureau

Kees

P.s. Heb je intussen nog een vraag of zo, surf dan naar www.kees-en-ko.nl